Ionesco dramaturge

« SITUATION »

N° 8

Jean-Hervé DONNARD

IONESCO
dramaturge

ou

l'artisan et le démon

M. J. MINARD

LETTRES MODERNES

73, rue du Cardinal-Lemoine, 73

PARIS-V°

1966

à Erna

les deux Ionesco, prologue

L E 27 juillet 1963, au quinzième Congrès de l'Association Internationale des Études françaises, M. Garapon signalait que les érudits, attentifs à la biographie de Molière et à l'histoire de ses œuvres, ont négligé l'essentiel : « *l'étoffe même* » de la comédie moliéresque ; il ajoutait : « *Ce serait à peine un paradoxe d'avancer que, si le texte de notre grand comique est bien connu, il a très peu été examiné en détail.* » Ionesco n'est guère plus favorisé que l'auteur du *Misanthrope*. On écrit abondamment sur ses productions, mais il ne semble pas qu'on les lise beaucoup. Aussi le but de cette étude est-il modeste : proposer *une* lecture des pièces publiées à ce jour.

Il importe d'avertir le lecteur de ce qu'il ne trouvera pas dans les pages qui suivent. On entend parfois dire que Ionesco est un philosophe, et c'est sans doute vrai, puisqu'il a publié un article dans la *Revue de Métaphysique et de Morale*. Pourtant, ce n'est ni sa morale ni sa métaphysique qui seront examinées, mais sa dramaturgie. Partisan résolu de la séparation des genres, il estime que la philosophie doit s'exercer dans son domaine propre, qui n'a aucune communication avec l'univers dramatique :

Un théâtre psychologique est insuffisamment psychologique. Mieux vaut lire un traité de psychologie. Un théâtre idéologique est insuffisamment philosophique. Au lieu d'aller voir l'illustration dramatique de telle ou telle politique, je préfère lire mon quotidien habituel ou écouter parler les candidats de mon parti. (*Notes et contre-notes*, p. 11)[1]

Ionesco a le mérite de toujours illustrer par la pratique ses théories, ou plutôt de tirer ses théories de l'expérience pratique. Ses pièces ne sont pas des manuels de philosophie, et si on veut y glaner des « leçons », on doit se contenter d'une maigre récolte :

— personne n'aime personne ;

— personne ne comprend personne ;

— les masses tendent à absorber l'individu, qui ne demande pas mieux que de se laisser absorber ;

— nous devons tous mourir, et c'est bien triste.

On conviendra que cet enseignement est dépourvu d'originalité. Il paraît donc préférable de laisser de côté cet aspect de son œuvre, qui n'est qu'accidentel.

Une pièce de théâtre, rappelle Ionesco avec une insistance significative, c'est essentiellement une pièce de théâtre (*Notes*, 19, 20, 126 et *passim*). Cette vérité admise, j'aurais pu légitimement situer son œuvre dramatique dans l'histoire du genre, lui chercher des ancêtres lointains, tels que les « parodistes » du XVIIIe siècle, ou des précurseurs modernes, tels que les surréalistes, montrer comment elle s'oppose aux formes traditionnelles depuis *Le Fils Naturel* jusqu'aux *Séquestrés d'Altona*. A vrai dire, si j'ai manifesté, au temps de mes études universitaires, une vocation d'historien, j'ai un peu perdu de mon enthousiasme depuis cette époque ; les ans en sont la cause. Pourtant, je me serais, par conscience professionnelle, mélancoliquement attelé à la besogne, si MM. Esslin, Pronko et Surer n'avaient, par bonheur, publié d'excellents ouvrages sur la question. Voilà du coup ma paresse satisfaite et excusée.

Bien que je ne sois pas sourcier (je ne possède ni l'intuition, ni la patience, ni surtout la conviction nécessaires), j'ai

---

1. Désormais, dans les références, j'abrègerai le titre *Notes et contre-notes* en *Notes*.

trouvé par hasard quelques textes qui présentent des analogies, parfois troublantes, avec telle ou telle pièce de Ionesco. Le seul intérêt de ce genre de trouvailles, c'est de mettre en valeur, par comparaison, l'originalité et la supériorité du dramaturge, qui affirme à bon droit : « *Personne, en réalité, ne s'inspire de personne, sinon de sa propre personne et de sa propre angoisse* » (*Notes*, 229). De plus en plus, les balzaciens s'aperçoivent que Balzac est la principale source de Balzac ; il en va de même de tous les grands créateurs.

On ne peut douter que Ionesco ne soit la source principale de Ionesco. Au fait, qui est Ionesco ? Il existe un Monsieur qui porte ce nom et qui écrit des pièces. Les pièces, je crois les connaître, du moins j'ai fait de mon mieux pour les connaître. Le Monsieur, au contraire, je ne le connais pas, et bien qu'il passe pour être un homme aimable et de bonne compagnie, j'ai pris la fuite dès que nos chemins se sont rapprochés. Ne m'eût-il adressé qu'une seule parole, j'aurais été incapable, à l'avenir, de comprendre ses œuvres. En les lisant, j'aurais entendu le son de sa voix, qui aurait brouillé, couvert leurs voix. L'expérience m'a hélas prouvé que je suis incapable de juger les livres des écrivains qui sont mes amis. Je constate et déplore mon infirmité : la présence de l'homme pour moi forme écran devant l'œuvre.

Pour me consoler et me justifier, j'adhère au parti de ceux qui estiment que la biographie d'un écrivain n'est jamais intéressante, même si elle est hors série. Il y a eu des pilotes aussi héroïques que Saint-Exupéry, des diplomates aussi brillants que Claudel. Qu'en conclure ? Ce n'est pas pour ses acrobaties aériennes que nous aimons l'un, ce n'est pas pour ses habiles négociations que nous admirons l'autre. Non qu'il n'existe aucun rapport entre la vie et l'œuvre. Armand Salacrou en a très bien saisi la nature lorsqu'il a remarqué que ses drames ont une signification prophétique, que très souvent les événements qu'il imagine dans une pièce surviennent peu après dans sa vie. Je me hâte de préciser que je n'ai pas l'intention de prédire l'avenir de M. Ionesco. Toutefois, si l'œuvre littéraire se révèle comme le plus sûr des horoscopes, à condition de la regarder « *comme les sorcières regardent leur marc de café* » (Préface du *Pont de l'Europe*, 1929), le phénomène ne présente rien de mystérieux. L'œuvre est le reflet de la personnalité réelle de l'auteur ; or consciemment et inconsciemment tous nous forgeons notre destin qui toujours est à la mesure de nos défauts et de nos qualités authentiques (telle est du moins ma croyance, que je me garde bien d'imposer). La « fatalité » qui en nous faisant naître dans une classe sociale déterminée accroît ou diminue énormément nos chances de réussite, a été vaincue dès la plus haute antiquité par des êtres d'exception, et depuis l'aube de ce siècle des peuples de plus en plus nombreux, des nations entières s'acharnent à la surmonter ; nul doute que leurs efforts ne leur assurent la victoire finale.

Oui, l'homme et l'écrivain ne possèdent que peu de traits communs. Le second, s'il est un écrivain véritable, c'est-à-dire inspiré, se livre mieux que le premier. Telle est au reste l'opinion du dramaturge :

Je crois que l'épaisseur sociale, la pensée discursive cache l'homme à lui-même, le sépare de ses désirs les plus refoulés, de ses besoins les plus essentiels, de ses mythes, de son angoisse authentique, de sa réalité la plus secrète, de son rêve. (*Notes*, 200)

La création littéraire se situe naturellement en deçà ou au-delà de la pensée discursive :

Quand j'écris une pièce, je n'ai aucune idée de ce qu'elle va être. J'ai des idées *après*. Au départ, il n'y a qu'un état affectif. [...] L'art pour moi consiste en la révélation de certaines choses que la raison, la mentalité quotidienne me cachent. L'art perce ce quotidien. Il procède d'un état second. (*Notes*, 109)

Cette confidence date de février 1956. Il convient de la rapprocher des propos que Ionesco a tenus à Denise Bourdet : « ... *J'écris d'autres pièces que celles que je voudrais écrire...* »[1]. En avançant dans la carrière, à force de métier, Ionesco tendrait-il à devenir un artisan plus conscient ? Il ne le semble

---

1. *La Revue de Paris*, déc. 1961.

pas, car il est habité par un « démon inconnu » contre lequel il combat mais qui lui impose sa volonté, ou plus exactement il lui faut à grand ahan déchiffrer les messages codés qui lui sont adressés. Il définit la littérature comme « *une nuit qu'on essaye d'éclairer. C'est aussi une exploration, une découverte où l'on s'exténue. Il faut briser des murs, franchir des barrières et retrouver les sources originelles...* »[1]. C'est pour cette raison qu'il attache une si grande importance à ses rêves où des « *vérités* », des « *évidences* » lui apparaissent « *dans une lumière plus éclatante, avec une acuité plus impitoyable qu'à l'état de veille, où souvent tout s'adoucit, s'uniformise, s'impersonnalise* » (*Notes*, 93). S'il s'inspire des songes agréables ou effrayants qui hantent son sommeil, il renonce à les utiliser à l'état brut, si je puis dire, et tâche de les couler dans un moule. La création littéraire contient une part de spontanéité, une part de travail lucide et méthodique. Mais en général ce n'est pas l'écrivain qui conduit son œuvre, c'est plutôt l'œuvre qui mène l'écrivain. Des obstacles insurmontables se dressent, on se brise les ailes contre des falaises de marbre, jusqu'à ce que dans les ténèbres s'allume la petite étoile des rois mages : « *Je recommence vingt fois la même pièce, j'ai dans mes tiroirs des quantités de débuts de premiers actes pour deux ou trois pièces, celles que je voudrais et ne peux écrire.* »[2].

Cette révélation, dont l'accent de sincérité est remarquable, indique les limites étroites de mon travail. Pour étudier le phénomène de la création littéraire comme il le mérite, il faudrait posséder ces multiples ébauches et repentirs ; les « avortements » nous permettraient de mieux comprendre les réussites. Mais, comme la plupart des auteurs vivants, Ionesco n'est sans doute pas disposé à vider ses cartons et à livrer ses brouillons à la publicité. S'il agissait autrement, c'est qu'il se considérerait comme mort, car sa force créatrice ne résisterait pas à l'autopsie que pratiqueraient ceux qu'il appelle avec mépris les

1. *La Revue de Paris*, déc. 1961.
2. *Ibid.*

« docteurs ». Faute d'inédits, il faut se contenter des diverses versions publiées. En particulier, plusieurs de ses pièces ont été d'abord écrites sous forme de courts récits, réunis plus tard en recueil (*La Photo du Colonel*) ; la comparaison des nouvelles aux drames qui en ont été tirés se révèle riche d'enseignement. Dans ces conditions, il serait abusif de se plaindre, d'autant plus que *Notes et contre-notes* renferment une masse d'indications précieuses ; c'est la Bible du critique.

Gaudeamus ! Ionesco, bien vivant, continue à produire et cherche à se renouveler : « *Si maintenant mes pièces sont moins fréquentes* — a-t-il confié à Denise Bourdet — *c'est parce que des formules faites par moi-même me viennent à l'esprit. Il faut que j'oublie mes propres clichés.* »[1]. Admirons sa probité et son courage. *Le Roi se meurt*, joué en 1962, témoigne de cet effort, qui s'affirme dans *La Soif et la Faim*, dont la *N.R.F.*, au moment où j'écris ces lignes, vient de publier le premier épisode. Me voici bien quinaud. Alors que mon livre est terminé, la fête continue, c'est inadmissible. Ionesco ne cesse de se plaindre des « docteurs » ; mais se rend-il compte des mauvais tours qu'il leur joue ? Parce que ses grimoires ne sont pas déposés au Département des Manuscrits de la Bibliothèque Nationale ou à la Bibliothèque Spoelberch de Lovenjoul, mon livre manque de profondeur ; comme si ce préjudice ne suffisait pas, le dramaturge s'obstine à écrire, de sorte que mon livre va manquer de superficie. Eh bien, j'en prends allègrement mon parti. Il est entendu que cette étude se borne à la première carrière de Ionesco qui s'étend de 1950 à 1962, *Le Roi se meurt* apparaissant comme une pièce de transition ; j'ajoute qu'elle n'est pas exhaustive, puisque je n'ai retenu que les œuvres qui m'ont semblé appeler un commentaire. Enfin, au mépris des règles qu'on m'a enseignées en classe de rhétorique, je me refuse à « conclure », sous prétexte que le recul fait défaut ; je propose, timidement, un épilogue provisoire.

---

1. *Ibid.*

*

Après avoir indiqué ce que mon travail ne devait, ne pouvait pas être, il me reste à préciser la méthode que j'ai adoptée, au début du moins, car le livre n'a pas tardé à m'échapper, et, sans paradoxe, je puis assurer que, sous mes yeux hagards, il s'est fait tout seul. Cette méthode, je n'en suis pas l'inventeur ; comme elle m'était suggérée par l'auteur de *Notes et contre-notes*, je l'ai essayée et je l'ai trouvée bonne. Ionesco m'a en somme donné le même conseil que M. Garapon :

L'œuvre [...] est ce qu'elle est, [elle] doit s'expliquer par elle-même : c'est donc à ceux qui lisent ou voient une pièce de théâtre de l'expliquer, — à partir de la pièce elle-même. Et y revenir. (*Notes*, 206)

Quand j'ai lu cette phrase, j'ai dressé l'oreille « comme un cheval de régiment entendant le son de la trompette ». Ionesco qui fut mon collègue (n'a-t-il pas été professeur ?) m'invitait à pratiquer un exercice qui de l'aveu des experts est le plus formateur et informateur. Toutefois, ce retour et ce recours au texte se fondent sur des impératifs moins pédagogiques qu'esthétiques, voire métaphysiques. A deux reprises, le dramaturge déclare que « *l'œuvre d'art n'est pas le reflet*, l'image *du monde*, [...] *elle est* à l'image du monde » (*Notes*, 127 et 204). En conséquence, le critique doit chercher ses critères dans l'œuvre, et dans l'œuvre seule : « *il doit la regarder, l'écouter, et dire uniquement si elle est ou n'est pas logique avec elle-même, cohérente en soi...* » (*ibid.*, 75). Ionesco emploie le mot *construction* avec une fréquence remarquable (*ibid.*, 15, 125, 126, 128, 220), et compare successivement le théâtre à « *une architecture mouvante* » (15), à « *une machine qui bouge* » (128), à « *un match de football, de boxe, de tennis* » (208). En d'autres termes, une pièce est bâtie suivant des règles, non pas imposées de l'extérieur, mais que l'écrivain découvre ou choisit pour son propre usage, et auxquelles il croit bon de se soumettre. Le rôle du critique consiste à les retrouver, à dégager du texte qu'il examine une *structure*, dont il peut ensuite juger l'efficacité. De plus, il lui appartient de décrire le *mouvement* du drame, qu'il s'agisse de la succession des images scéniques, des oppositions dynamiques dans le dialogue ou entre les personnages, ou des ressorts de l'action, comme on disait jadis.

Je me suis donc appliqué à refaire le travail de Ionesco, mais à l'envers, c'est-à-dire en partant de ce qui est lucide dans son art pour remonter jusqu'à l'impulsion première, surgie des arcanes de l'être. Ainsi la part des recherches objectives, reposant sur un dépouillement méthodique, est assez grande. Toutefois, parvenu aux zones d'ombre, je n'ai plus disposé que de rares repères, réduit à me fier à l'intuition ; en conséquence, mes approximations sont pour la plupart subjectives. Ce livre est à la fois incomplet, inachevé et discutable. Je ne l'avoue pas pour désarmer les « docteurs », mais parce qu'il est ainsi. Le débat reste ouvert, et il est passionnant. Bientôt ou dans quelques lustres, je publierai le second tome de l'ouvrage dont j'écris à présent la dernière phrase : je contemple le ciel par-dessus les toits, il est limpide comme celui de la cité idéale que Bérenger visitait peu avant de tomber sous les coups d'un Tueur sans gages.

Athènes, 27 février 1965.

l'appendicite et l'apothéose

A Paris, près de la Bourse, dans un restaurant de médiocre catégorie, je, qui comme chacun sait est un autre, commande du yaourt. Un coulissier, voisin de table, approuve : « Le yaourt est excellent pour l'estomac, les reins, l'appendicite et l'apothéose. » Quelques jours plus tard, à Athènes, chez un armateur : « — Pardonnez ma liberté grande, mais puis-je savoir ce que Monsieur est venu faire en Grèce ? — Étudier Ionesco. — Comme c'est curieux ! comme c'est bizarre ! » *La Cantatrice chauve* se porte bien ; à sa naissance, la plupart des docteurs l'avaient trouvée rachitique. Elle est aujourd'hui une belle et forte fille, qui ne songe guère à prendre sa retraite. Le moment ne serait-il pas venu de l'interroger sur son élixir de longue vie ?

Dès qu'elle s'est avancée sur les planches, son père a poussé un soupir de soulagement. Ses qualités théâtrales étaient manifestes ; « *aux répétitions* — dit-il — *on constata qu'elle avait du mouvement, [...] un rythme...* » (*Notes*, 163). Puisque les gens de métier sentent cela intuitivement, aux profanes seuls est conseillée l'expérience suivante. S'installer devant un appareil de télévision ; attendre que *La Cantatrice* apparaisse sur le petit écran ; regarder et écouter attentivement les dix premières scènes ; à la onzième et dernière, couper le son. C'est alors qu'apparaîtront les temps faibles et forts du rythme. Pendant la première moitié de la scène, les couples Smith et

Martin poursuivent une conversation animée ; à intervalles égaux, les lèvres de chaque personnage remuent à vitesse égale, pendant une durée sensiblement égale. (Sur 34 répliques, Mme Martin en prononce 7, Mme Smith 9, M. Smith 9, M. Martin 9.) La tension dramatique reste stationnaire. Soudain, M. Smith pousse une exclamation violente. Ses interlocuteurs demeurent immobiles, stupéfaits. La tension monte d'un bond. Les visages expriment l'hostilité. La conversation reprend sur un rythme accéléré, les lèvres remuent de plus en plus vite, elles se tordent sous l'effet de la fureur, les poings se lèvent. Obscurité totale. Lorsque la lumière revient, il n'y a plus en scène que M. et Mme Martin, en toute quiétude assis l'un en face de l'autre, comme les Smith au début de la pièce. Un coup de frein a donc été donné, provoquant une chute brusque de tension. On pourrait représenter graphiquement ce phénomène par une courbe en cloche.

Or il en va de même des scènes qui précèdent. Au lever du rideau, le démarrage est très lent. Mme Smith se livre à de pesantes réflexions sur le repas du soir, à peine achevé ; c'est un long monologue, ponctué par les claquements de langue du mari. Le dialogue s'engage à propos du décès d'un certain Parker, victime, paraît-il, de l'incurie de son médecin. Toutefois, la conversation tombe à la onzième réplique. Après une pause, elle renaît au sujet des Bobby Watson, jeunes et vieux, hommes et femmes, trépassés et vivants. Elle s'anime, et s'élève même jusqu'à un commencement de dispute ; Mme Smith montre les dents, mais son mari l'apaise, en l'appelant « *mon petit poulet rôti* ». L'action revient donc au point mort : « *Nous allons éteindre et nous allons faire dodo !* »

Les Martin arrivent pour empêcher la pièce de finir. Les voici, à la scène 4, en tête à tête. Ils restent un bon moment silencieux, se souriant avec timidité. L'étincelle jaillit enfin, et elle allume un grand brasier. Ce Monsieur et cette Dame font une série de découvertes de plus en plus troublantes : ils sont l'un et l'autre originaires de la ville de Manchester, qu'ils ont quittée il y a cinq semaines, ils ont pris le même train, ils sont montés dans le même wagon, se sont installés dans le même compartiment, ils habitent la même rue, le même numéro, le même étage, le même appartement, dorment dans la même chambre, le même lit... « — *C'est peut-être là que nous nous sommes rencontrés* », hasarde M. Martin. Hypothèse qui semble se confirmer, puisqu'ils s'aperçoivent qu'ils sont les parents de la même petite fille. La tension atteint son point culminant. Donald reconnaît Élisabeth, Élisabeth retrouve Donald. La tension tombe aussitôt, plus vite qu'elle n'avait monté. Les deux époux s'endorment dans les bras l'un de l'autre. Silence et immobilité.

Les scènes 5 et 6 forment un tout rythmique. La bonne Mary entre en scène pour annoncer que, en dépit des apparences, Élisabeth n'est pas Élisabeth, Donald n'est pas Donald, et, ce qui est un comble, Mary n'est pas Mary, mais Sherlock Holmes. Sans hâte, les Martin se réveillent : « — *Oublions, darling, tout ce qui ne s'est pas passé entre nous et, maintenant que nous nous sommes retrouvés, tâchons de ne plus nous perdre et vivons comme avant.* » Si de la représentation graphique on passait à la traduction sonore, on obtiendrait ceci : un coup de gong violent (« *Élisabeth n'est pas Élisabeth* »), un autre coup de gong identique (« *Donald n'est pas Donald* »), un fracas énorme (« *Mon vrai nom est Sherlock Holmes* »), une pause assez longue, et deux ou trois petits coups frappés en sourdine.

Les couples Smith-Martin, d'abord présentés séparément, sont réunis à la scène 7. Nous ne dirons pas que la tension est au point o, sur le plateau et dans la salle. Les douches écossaises qui précèdent ont dû ébranler les spectateurs ; quant aux personnages, ils sont nerveux. Les Smith paraissent mécontents de la visite des Martin, qui dérange leurs projets ; les Martin sont gênés en présence des Smith, surtout après ce qui vient de leur arriver. Si la tension T atteint un chiffre positif, il n'en va pas de même de la vitesse v du dialogue. La conversation ne parvient pas à s'amorcer. Les silences sont nombreux, interrompus par des toussotements timides, et de brèves remarques sur la pluie et le beau temps. Mme Martin, pour rompre la glace, raconte « *une chose extraordinaire, une chose incroyable* », dont elle a été témoin le jour même : en pleine rue, un Monsieur « *nouait les lacets de sa chaussure qui s'étaient défaits* » ; M. Martin a vu dans le métro un autre original, assis sur une banquette, et « *qui lisait tranquillement son journal* ». Les ressorts se détendent, T tombe jusqu'à rejoindre v, vers o. Brusquement, les aiguilles s'affolent sur les cadrans. Un coup de sonnette se fait entendre. Est-ce un ami qui vient apporter quelque agrément à cette morne soirée ? Ou bien un télégramme annonce-t-il aux Smith qu'ils ont gagné le gros lot ? A moins qu'il ne s'agisse d'un messager de malheur. Les cœurs battent, les pensées les plus folles traversent les esprits. Déception et soulagement quand on apprend qu'il n'y a personne derrière la porte. La sonnette retentit pour la seconde fois : personne. Pour la troisième fois : personne. Cet événement insolite provoque une discussion qui risque de dégénérer en dispute :

M. MARTIN. — Quand on entend sonner à la porte, c'est qu'il y a quelqu'un à la porte, qui sonne pour qu'on lui ouvre la porte
Mme MARTIN. — Pas toujours. Vous avez vu tout à l'heure ! [...]
Mme SMITH. — [...] L'expérience nous apprend que lorsqu'on entend sonner à la porte, c'est qu'il n'y a jamais personne.

Au quatrième coup de sonnette, Mme Smith fait une crise de colère et refuse d'aller ouvrir.

Il est curieux, il est bizarre, il est étrange que tel critique se soit ingénié à analyser la portée philosophique de ces coups de sonnette. Or ils ont, avant tout, une utilité dramaturgique. Ils servent à augmenter T et à accroître v. A provoquer, sur le plateau, angoisse et énervement. A réveiller dans la salle les spectateurs guettés par l'ennui. Soudain les aiguilles s'immobilisent. M. Smith est allé voir, et il a trouvé devant la porte le Capitaine des Pompiers.

Le Pompier joue au xxe siècle le rôle du médecin et du petit marquis au temps de Molière, de l'abbé et du financier à l'époque de Collé et de Lesage. Il est comique, par nature, en dépit de son incontestable utilité sociale. Cette qualité est peut-être attachée à son nom plus qu'à sa personne : pompier, pompe, pom peux, pomper, pompette, pompon, il a dans le dictionnaire des voisins peu reluisants. Le grade de Capitaine accentue le ridicule du Pompier, car il représente une autorité volontiers vaniteuse, parce que subalterne, et dont on peut se moquer impunément, pour la même raison. Quoi qu'il en soit, son arrivée apporte un soulagement et fait naître le sourire sur les lèvres.

La détente est en fait toute relative. Le Capitaine reconnaît qu'il est l'auteur des deux derniers coups de sonnette ; les deux premiers restant inexplicables, l'insolite subsiste en partie. Il est assez plaisant que ce pompier soit en chômage et mendie de petits incendies auprès de ses amis et relations. Néanmoins, on risque de s'enliser de nouveau dans les marécages de l'ennui. Comme les Martin précédemment, les Smith et surtout le Pompier racontent des anecdotes. Si elles ont le mérite de n'être pas banales, elles n'en sont pas moins ennuyeuses. Elles ont en outre le défaut d'être nombreuses, et cette plaisanterie dure trop longtemps. Parce qu'ils ont reçu une bonne éducation, les Martin et les Smith prient le Pompier de raconter encore une histoire. Suivant les règles du jeu mondain, le Pompier refuse puis, cédant aux supplications de Mme Smith, se fait douce violence. L'assistance est consternée :

M. SMITH, *à l'oreille de Mme Martin.* — Il accepte ! Il va encore nous embêter.
Mme MARTIN. — Zut.
Mme SMITH. — Pas de chance. J'ai été trop polie.

Le mécontentement est général, d'autant plus que Smith et le Pompier ont une mentalité de littérateur, chacun trouvant excellente sa propre anecdote et détestable celle du confrère.

Le Pompier s'apprête à prendre congé lorsque se produit un coup de théâtre. Mary, la bonne, oubliant les distances sociales, veut à son tour se mettre en valeur. Malgré les protestations, elle récite, au bord de la crise d'hystérie, un poème frénétique, et on est obligé de l'expulser par la manière forte. Les personnages poussent un soupir de soulagement, mais leur émotion n'est pas calmée. Sur ces entrefaites, le Pompier se retire pour de bon. Or, juste au moment de franchir le seuil, alors que tout pas de clerc semblait impossible, il pose une question maladroite, voire incongrue, qui provoque le silence général, une gêne.

Ainsi, pendant dix scènes, les personnages subissent une série de chocs d'intensité variée, mais qui, s'additionnant, ébranlent leur système nerveux ; il ne faut pas s'étonner si au « dénouement » ils sont prêts à s'entre-dévorer. Chaque choc a été efficace, ressenti dans sa totalité puisqu'il a été assené après un instant de détente relative. La courbe en cloche se répète, mais le point maximum est situé de plus en plus haut. C'est une manière d'escalier au sommet duquel éclate une bombe ; explosion suivie d'une retombée immédiate. Telle est la progression rythmique de cette anti-pièce qui appartient au théâtre de la violence.

C'est à une séance de démolition que nous sommes conviés ; or, détruire est un art, et un art très savant. De vos avions, vous pouvez lâcher des mégatonnes de bombes sur une ville, il en restera toujours quelque chose ; par-ci par-là, un pan de mur qui tient bon. Finalement le travail de sape est plus efficace que le bombardement. Ionesco, sans tapage, commence par faire un petit trou dans chacune des murailles qu'il veut abattre : le mur du temps, les remparts de la personnalité, la forteresse de la logique et du langage. Il y introduit une charge de dynamite, modeste mais bien serrée, ça saute, et le trou est béant. Il refait l'opération en forçant la dose, autant de fois qu'il est nécessaire, jusqu'au feu d'artifice final, après lequel il ne subsiste rien, — rien que la Vérité, triste et nue, comme il se doit, brandissant un miroir incassable.

Son fer à mine, il le manœuvre sans perdre un instant. Avant que les Smith aient ouvert la bouche, la pendule sonne, dix-sept coups, si vous avez la présence d'esprit de les compter. Voilà le Temps au plus mal. Mais, à moins d'être prévenu, au début vous n'accordez pas à ce malaise l'attention qu'il mérite. De même, lorsque Mme Smith déclare : « — Nou *avons bien mangé, ce soir. C'est parce que nous habitons dans les environs de Londres et que notre nom est Smith* », vous ne sursautez pas, à peine souriez-vous de cette atteinte à la logique, tant elle se trouve noyée parmi des considérations sur la soupe, le poisson, les pommes de terre au lard, la salade anglaise, et surtout l'huile de la salade, l'huile de l'épicier du coin, de l'épicier d'en face, de l'épicier du bas de la côte. Les barbares sont aux portes, et vous vous endormez. Lorsque du plat de résistance, on passe au dessert, vous dressez l'oreille, mais il est déjà trop tard : « *Le yaourt est excellent pour l'estomac, les reins, l'appendicite et l'apothéose.* » A la cohérence logique se substitue l'enchaînement mécanique ; Mme Smith mentionne des organes situés dans le ventre, puis la maladie qui atteint un des viscères ; le mot savant en attire un autre, commençant par les mêmes lettres et pourvu d'une désinence qui apparaît dans de nombreux termes médicaux (névrose, scoliose, cirrhose, etc.). Les optimistes pourraient ne voir là qu'un lapsus de petite bourgeoise prétentieuse et ignorante. En fait, l'édifice de la pensée raisonnante est lézardé et il suffira d'un léger coup de pouce pour que tout s'effondre. Mme Smith se réfère à l'autorité du docteur qui prescrit le yaourt : « — *C'est un bon médecin. On peut avoir confiance en lui.* » Ce sont là des affirmations rassurantes. La suite l'est moins : « *Il ne recommande jamais d'autres médicaments que ceux dont il a fait l'expérience sur lui-même. Avant de faire opérer Parker, c'est lui d'abord qui s'est fait opérer du foie, sans être aucunement malade.* » La machine infernale est en marche, rien ne l'arrêtera.

Les noms propres, comme les noms communs, perdent leur sens ; en d'autres termes, la personnalité subit le même sort que la logique. Au commencement, on n'aperçoit que de plaisantes homonymies. Le marchand de yaourt se nomme Popesco Rosenfeld ; ne serait-il pas en famille avec une célèbre actrice ? Le médecin de Parker s'appelle Mackenzie-King, comme un homme politique qui pendant vingt-sept ans fut Premier Ministre du Canada. Mais les Popesco sont nombreux en Roumanie, et pas nécessairement du même lignage ; il en va ainsi des King et des Mackenzie dans les pays anglo-saxons. Il existe également beaucoup de Watson en Angleterre, et pour peu qu'ils portent un prénom hermaphrodite, Bobby par exemple, on ne s'y reconnaît plus.

Les thèmes essentiels de l'anti-pièce sont donc annoncés dès la scène 1, qui apparaît comme une véritable scène d'exposition. Peut-être vaut-il mieux ne pas employer le terme d'*exposition*, pour éviter toute confusion avec la dramaturgie traditionnelle, logique et psychologique. Disons plutôt que c'est une scène de *préparation*. Il n'est pas question, en effet, d'*exposer* une intrigue (il n'y a guère d'intrigue), ou de présenter des personnages (il n'y a pas de personnages) ; mais il convient de *préparer* le public à supporter les effets de grossissement qui vont se succéder.

A la scène 4, ce n'est plus dix-sept, mais vingt-neuf fois que sonne la pendule. Et après quelques instants de silence, elle frappe un seul coup, un coup si fort « *qu'il doit faire sursauter les spectateurs* ». Les malheureux ! Rien n'est épargné pour les obliger à quitter le mol oreiller des idées reçues, et à se laisser emporter, la tête vide et les nerfs en pelote, dans le tourbillon. C'est à une cure d'abrutissement qu'on les soumet. Les anecdotes absurdes débitées à la scène 8 n'ont pas d'autre utilité. Le point culminant est la tirade du rhume où, en quelques secondes, le Pompier énumère cinquante individus, divers par leur âge, leur sexe, leur nationalité, leurs activités, et formant un arbre généalogique si touffu qu'il est impénétrable. Ce morceau de bravoure est en réalité une sorte d'incantation qui vide les personnages, et avec eux les spectateurs, du peu de pensée qui leur restait. Dans la première scène, on relevait des associations d'idées, aberrantes certes, des associations d'idées néanmoins : repas — yaourt — médicament — médecin — dévouement. Désormais on ne recueille que la paille des mots, on ne perçoit que leur cliquetis :

M. MARTIN. — Quand on s'enrhume, il faut prendre des rubans.
[...]
M. SMITH. — Toujours on s'empêtre entre les pattes du prêtre.

La scène finale est tout entière de cette veine et de ce style. Elle serait intolérable, si le public n'avait au préalablé été mis en état de réceptivité, voire plongé dans un état second. La sous-conversation des Smith et des Martin n'est pas reproduite platement, dans le genre réaliste d'un Henri Monnier ou ennuyeux d'une Nathalie Sarraute, mais traduite par un chapelet de lieux communs, la méthode Assimil étant largement mise à contribution :

— Le plafond est en haut, le plancher est en bas.
— La maison d'un Anglais est son vrai palais.
— Charity begins at home.

(A la scène 4, on remarque un bel échantillon de « franglais » : « — *J'ai pris le train d'une demie après huit le matin, qui arrive à Londres à un quart avant cinq.* »)

Le dialogue est doublement désarticulé : coq-à-l'âne d'une réplique à l'autre, et souvent à l'intérieur d'une même réplique. Le non-sens apparaît sous ses formes les plus variées :

— Jeu des assonances : « *Plutôt un filet dans un chalet, que du lait dans un palais.* »

— Déformation d'expressions stéréotypées : « *J'attends que l'aqueduc vienne me voir à mon moulin.* »

— Attribution à un objet ou à un être de qualités qui appartiennent à un autre : « *Le papier c'est pour écrire, le chat c'est pour le rat. Le fromage c'est pour griffer.* »

— Non-sens « circonstanciel » : « *Je ne sais pas assez d'espagnol pour me faire comprendre.* » La phrase n'est pas absurde en elle-même ; un Anglais ignorant l'espagnol au milieu d'Espagnols ignorant l'anglais, pourrait la dire, en toute logique. Mais la scène se passe en Angleterre...

— Coq-à-l'âne « absolu », c'est-à-dire restant coq-à-l'âne en tout temps et en tout lieu : « *L'automobile va très vite, mais la cuisinière prépare mieux les plats.* »

Il serait facile de continuer l'énumération, et de conclure que Ionesco s'inspire des jeux surréalistes. Or, ce qui importe, c'est l'utilisation dramaturgique de ces amusettes anciennes.

Le public n'a pas le temps d'analyser, comme je viens de le faire, le mécanisme du non-sens ou du lieu commun ; il n'en perçoit que la charge affective, variable d'une réplique à l'autre, pour éviter l'accoutumance.

« — *Celui qui vend aujourd'hui un bœuf, demain aura un œuf* » ; cette proposition laisse le spectateur indifférent ou presque. Dites-lui en revanche : « — *Prenez un cercle, caressez-le, il deviendra vicieux !* » Voyez comme il sourit, vicieusement. Dites-lui encore : « — *Je te donnerai les pantoufles de ma belle-mère si tu me donnes le cercueil de ton mari.* » Vous le mettrez mal à l'aise, il trouvera votre plaisanterie presque choquante. Ajoutez aussitôt : « — *Je cherche un prêtre monophysite pour le marier avec notre bonne.* » Si vous avez affaire à un spectateur anticlérical, peut-être opinera-t-il ; sinon, il prendra une mine gênée. Pour les catholiques, le concept « prêtre » est indissolublement lié au concept « célibat » ; or vous manifestez l'intention de marier un prêtre. Il est vrai que votre choix ne se porte pas sur n'importe quel prêtre, mais sur un « monophysite », un hérétique qui a sans doute le droit de convoler en justes noces. Cette précision, si elle diminue le sacrilège, augmente l'insolite. A moins d'être un spécialiste de l'histoire religieuse, le spectateur n'a que des notions très vagues sur le monophysisme. De toute façon, il se demandera : « — Pourquoi est-ce justement un prêtre monophysite que M. Smith cherche pour sa bonne ? » D'autre part, le prêtre, même schismatique, occupe un certain rang dans la hiérarchie sociale ; pourquoi le dégrader par une mésalliance ? Enfin M. Smith ravale le mariage, cette vénérable institution, et traite les humains comme des bêtes ; il cherche un mari pour sa bonne, comme un matou pour sa chatte. Il va de soi que le spectateur n'a pas le loisir de faire ces réflexions ; il éprouve une émotion rapide, dont la nature et l'intensité varient suivant sa sensibilité et ses convictions personnelles.

A cet égard, le mot magique est sans doute la meilleure trouvaille de Ionesco. Magique, puisque en un instant, sans justification apparente, il métamorphose les personnages. M. Smith s'écrie : « — *A bas le cirage !* » Le coup de pistolet éclate au milieu du concert. Les interlocuteurs se taisent, stupéfaits. La sous-conversation reprend sur un ton non plus animé et courtois mais « *glacial, hostile* ». Or ce procédé dramaturgique a été déjà employé à la scène précédente, mais sur le mode mineur, tant il est vrai que les effets sont toujours préparés dans cette anti-pièce, que l'on pourrait qualifier de symphonie. Au moment de prendre congé, le Pompier demande à brûle-pourpoint : « — *A propos, et la Cantatrice chauve ?* » Question suivie d'un « *silence général* », d'une « *gêne* ». Le spectateur a le sentiment plus ou moins vague qu'une incongruité a été commise. Telles sont les embûches de la conversation mondaine, fort bien signalées par Jean-Jacques Rousseau au livre troisième de ses *Confessions* :

Je ne comprends pas [...] comment on ose parler dans un cercle : car à chaque mot il faudrait passer en revue tous les gens qui sont là ; il faudrait connaître tous leurs caractères, savoir leurs histoires, pour être sûr de ne rien dire qui puisse offenser quelqu'un. Là-dessus, ceux qui vivent dans le monde ont un grand avantage : sachant mieux ce qu'il faut taire, ils sont sûrs de ce qu'ils disent ; encore leur échappe-t-il souvent des balourdises. Qu'on juge de celui qui tombe là des nues : il lui est presque impossible de parler une minute impunément.

Quand on rencontre un ami après une longue séparation, on hésite à lui demander : « — Comment va Monsieur votre Père ? » de peur de s'entendre dire : « — Il est mort depuis trois ans. » Ou encore : « — Mes hommages à Madame votre Femme. » « — Je vous remercie. Il y a six mois qu'elle est partie avec Eugène. » Le Pompier, soldat qui sait mal farder la vérité, a péché gravement contre les règles du savoir-vivre. Il est malséant de mentionner une infirmité, qui est dans le cas présent singulièrement affligeante ; la calvitie peut donner du charme, du moins de la personnalité à un homme, surtout s'il est acteur de cinéma. Au contraire, c'est une calamité pour une femme, en particulier lorsque sa profession l'oblige à se produire en public. A la question déplacée de son hôte,

Mme Smith a du moins le sang-froid de répondre : « — *Elle se coiffe toujours de la même façon !* » Cette réplique n'est pas un gros non-sens, une réponse inadaptée à la question. Au contraire ; une leçon de politesse est donnée au Pompier. Dans le monde, les infirmités ne doivent pas exister, donc elles n'existent pas.

M. Smith se rend coupable d'une impolitesse du même ordre, mais plus grossière. « *A bas le cirage !* » Cette affirmation violente, fanatique, d'une opinion rigoureusement personnelle est choquante. M. Martin, heurté dans ses convictions, riposte : « — *On ne fait pas briller ses lunettes avec du cirage noir.* » Traduction possible : « C'est parce que vous ne savez pas vous en servir ou parce que vous vous en servez d'une manière stupide que vous vous déclarez l'ennemi du cirage. » Le cirage a été choisi pour faire ressortir la futilité des origines de ce conflit, comme de tout conflit ; Ionesco, suivant les principes de sa dramaturgie, a eu recours à un procédé de grossissement. En outre, *cirage* est un mot « neutre », qui donne une portée générale à la scène. Substituons-lui un mot en *-isme*, l'effet est détruit. « — A bas le cléricalisme ! » Nous voici cantonnés dans un pays déterminé, la France, et reportés à un moment précis de l'histoire, les débuts de la Troisième République. Nous sombrons dans l'anecdote. Au contraire, la querelle à propos du cirage dégage l'essence, l'archétype éternel des disputes idéologiques, en dehors des époques, des individus... et des idéologies. Cette scène offre un exemple du « théâtre abstrait ou non-figuratif » dont Ionesco s'est fait le théoricien.

L'antagonisme des idées entraîne souvent le conflit des personnes. A bout d'arguments, les adversaires échangent des insultes. Ainsi Mme Smith, venant à la rescousse, lance à Monsieur Martin : « — *Oui, mais avec l'argent on peut acheter tout ce qu'on veut.* » Ce qui signifie : « Vous avez peut-être raison, mais vous pratiquez la corruption » ; ou mieux : « En admettant que vous ayez raison, je ne vous en considère pas moins comme un vendu ». Cette façon détournée de se dire des injures à l'aide de phrases impersonnelles correspond à une réalité. Les gens du peuple procèdent volontiers ainsi. Chez un auteur que Ionesco déteste cordialement, Brecht, on relève un dialogue significatif à cet égard. Dans *Le Cercle de craie caucasien,* une querelle oppose le soldat Simon au juge Azdak, ancien écrivain public, élevé aux fonctions judiciaires à la faveur du désordre qui règne dans le pays ; Azdak réclame des pots-de-vin :

[...] Quand vous allez chez le boucher, vous savez que vous devez payer, mais devant le juge, vous venez comme à un festin d'enterrement.

SIMON. — « Quand on vient abattre le veau, la puce se tient la tête à pleines mains. »

AZDAK, *saisit la provocation au vol.* — « Un diamant dans le purin vaut mieux qu'un silex dans la source. »

SIMON. — « Beau temps aujourd'hui, si nous allions à la pêche ? » dit l'hameçon au ver de terre.

AZDAK. — « Je suis mon maître », dit le valet, et il se trancha le pied.

SIMON. — « Je vous aime comme un père », dit le Tsar aux paysans, et il fit décapiter le tsarevitch.

AZDAK. — « Le plus grand ennemi du fou, c'est lui-même. »

SIMON. — Mais « le pet n'a pas de nez ».

AZDAK. — Dix piastres d'amende pour paroles déplacées devant le tribunal. Je vais t'apprendre ce que c'est que la justice.

Traduction en clair, proposée sans garantie :

SIMON. — *Ce que tu dis est absurde, je m'en moque, et je te rends la monnaie de ta pièce en disant à mon tour une absurdité.*

AZDAK, saisit la provocation au vol. — *Je vaux infiniment plus que toi, bien que tu essayes de me salir par tes injures.*

SIMON. — *Absurde ! Je me moque de ce que tu dis.*

AZDAK. — *Tu te crois très fort, mais tu n'es qu'un imbécile.*

SIMON. — *Représentant du Tsar, tu es aussi hypocrite et cruel que ton maître.*

AZDAK. — *Tu es fou, et ta folie va te jouer un mauvais tour.*

SIMON. — *Tu pues, sans même t'en rendre compte.*

Cet outrage grossier amène le juge à cesser le jeu et à condamner l'insolent.

Si Brecht et Ionesco se sont rencontrés, une fois n'est pas

coutume. L'un a fait de son théâtre l'image du monde, l'autre l'a conçu à l'image du monde. Les injures échangées par les Martin et les Smith ne sont pas reproduites d'après la réalité, mais inventées, ou, plus précisément, *reconstruites*. Elles conservent valeur d'injures, mais valeur renforcée ; c'est de l'essence d'injure.

Les phonèmes sont choisis pour leurs résonances péjoratives. Se fait entendre, à l'ouverture, une longue série de gutturales où dominent les sons *ca* et *ca-ca*. M. Smith hurle dix fois de suite « *Kakatoès* », dont la sifflante finale, appuyée sur une diphtongue, exprime bien la colère. S'ajoutent aussitôt les neuf « *Quelle cacade* » de Mme Smith. Le rythme est plus saccadé, les sons moins éclatants ; il y a trois gutturales au lieu de deux, et les *e* muets traduisent un essoufflement. Mme Smith est plus émotive que son mari, et sa colère s'extériorise avec peine. M. Martin riposte par des insultes renforcées : « *Quelle cascade de cacades* » (huit fois). Tous ces mots, dont Philaminte aurait qualifié de sales les syllabes, ont un sens défavorable. Nul n'ignore quel genre d'oiseau est le kakatoès (ou cacatoès) : un perroquet plus bête que les autres, car il apprend difficilement à parler. Cacade, en revanche, est un mot rare : « *entreprise folle, échec ridicule* », nous apprend le petit Larousse. Il est bon d'avoir le dictionnaire à portée de la main ; au-dessous de cacade, on lit : cacahuète, cacao, cacaoté, cacaoyer, cacaoyère. Aussi Mme Martin répète-t-elle trois fois : « — *Les cacaoyers des cacaoyères donnent pas des cacahuettes, donnent du cacao !* » Passons sur « caïman » et « cagna » ; n'accordons qu'une mention honorable à « — *Cactus, coccys ! coccus ! cocardard ! cochon !* » Au contraire, arrêtons-nous avec complaisance sur les dérivés de « *caque* » et leur utilisation dans une phrase grossièrement injurieuse. Une CAQUE, d'après Larousse, est une « *barrique où l'on presse les harengs salés : se serrer comme des harengs en caque. Prov. La caque sent toujours le hareng, on se ressent toujours de son origine.* » A la famille de *caque* appartiennent le verbe *encaquer* (mettre dans une caque), et le substantif *encaqueur* (celui qui encaque). Un mot parfumé en valant un autre,

Mme Smith lance à l'adresse de M. Martin : « — *Encaqueur,
tu nous encaques.* » L'outrage est original, et beaucoup plus per-
cutant que si Mme Smith avait utilisé le substantif et le verbe
formés sur une interjection à laquelle le général Cambronne
d'abord, le Père Ubu ensuite, ont donné des lettres de noblesse.

Deuxième mouvement. Après le *ca-ca*, les sons en *ou* et surtout en *ouche*. L'interjection *hou !* « *sert à marquer la réproba-
tion* » (style Larousse). Quant au *che*, rien n'empêche de
l'interpréter comme le chuintement de la fureur. Ce qui donne :

Mme SMITH. — Mouche ta bouche.
M. MARTIN. — Mouche le chasse-mouche, mouche le chasse-
mouche.
M. SMITH. — Escarmoucheur escarmouché !
Mme MARTIN. — Scaramouche !
Mme SMITH. — Sainte-Nitouche !
M. MARTIN. — T'en as une couche !
M. SMITH. — Tu m'embouches.
Mme MARTIN. — Sainte-Nitouche touche ma cartouche.

Dans ce déluge verbal surnagent :
— deux injures « réalistes », appelées par l'assonance ;
— une nouvelle version de « *tu nous encaques* » : « — *Tu
m'embouches.* » ;
— le nom d'un acteur de l'ancienne comédie italienne utilisé comme un qualificatif insultant.

Du reste, on relève immédiatement après, un autre emploi,
étrange *a priori*, des noms propres :

Mme SMITH. — N'y touchez pas, elle est brisée.
M. MARTIN. — Sully !
M. SMITH. — Prudhomme !
Mme MARTIN, M. SMITH. — François.
Mme SMITH, M. MARTIN. — Coppée.
Mme MARTIN, M. SMITH. — Coppée Sully !
Mme SMITH, M. MARTIN. — Prudhomme François.

Le verbe *toucher* attire une réminiscence littéraire. La citation
d'un vers aussi ridicule que célèbre appelle le nom du poète
qui l'a écrit ; puis le nom d'un poète du même genre. Les

prénoms s'intervertissent, comme on peut sans dommage inter-
vertir les vers de ces deux médiocres auteurs. (On reconnaît
un jeu familier à Prévert.) Cette fantaisie marque un temps
d'arrêt dans la montée de la fureur. Ionesco ménage cette
pause avant de repartir de plus belle. Lorsque Mme Martin
s'écrie : « *Bazar, Balzac, Bazaine !* » et que M. Martin enché-
rit : « *Bizarre, beaux-arts, baisers !* », les noms propres ne
désignent ni l'auteur de *La Comédie humaine* ni le vaincu de
70 ; ils ne sont retenus que pour leur qualité phonique. La
série des *b* explosifs et des *z* grinçants expriment le comble de
la fureur. Ce point critique atteint et dépassé, le langage se
désintègre :

> M. SMITH. — A, e, i, o, u, a, e, i, o, u, a, e, i, o, u, i !
> Mme MARTIN. — B, c, d, f, g, l, m, n, p, r, s, t, v, w, x, z !

Les personnages, commente Ionesco, « *devraient littéralement
exploser ou fondre comme leur langage ; on devrait voir leurs
têtes se détacher des corps, les bras et les jambes voler en éclats,
etc.* »[1]. L'anti-pièce s'achève dans l'anti-monde.

*

Les murailles sont tombées. Les masques aussi. Les Martin
et les Smith n'ont pu cacher longtemps « *l'instinct de destruction* » (cf. FREUD) qu'ils portaient en eux, la « *haine profonde
que l'homme a de l'homme* » (*Notes*, 138). Cette « *agressivité fondamentale* » s'est d'abord manifestée par des symptômes bénins.
Au début, on attache peu d'importance à une remarque déplai-
sante que Mme Smith adresse à son mari : « *Notre petit garçon
aurait bien voulu boire de la bière, il aimera s'en mettre plein la
lampe, il te ressemble.* » Peu après, c'est au tour de M. Smith
de pousser une pointe, en accusant sa femme de poser des
questions « *idiotes* ». A la scène suivante, les époux réconciliés
affrontent l'ennemi commun, la Bonne :

---

1. Texte publié dans l'édition illustrée Massin-Cohen (Gallimard, 1964).

Mᵐᵉ SMITH. — On n'a rien mangé, de toute la journée. Vous n'auriez pas dû vous absenter !

MARY. — C'est vous qui m'avez donné la permission.

M. SMITH. — On ne l'a pas fait exprès !

A la discorde conjugale succède l'antagonisme social, plus accentué encore à la scène 9. Mary ayant la prétention de participer au jeu des anecdotes, les maîtres font chorus pour exprimer leur indignation :

M. MARTIN. — Je crois que la bonne de nos amis devient folle... Elle veut dire elle aussi une anecdote.

LE POMPIER. — Pour qui se prend-elle ? [...]

Mᵐᵉ SMITH. — De quoi vous mêlez-vous ?

M. SMITH. — Vous êtes vraiment déplacée, Mary...

Toutefois, l'espace d'un éclair, les maîtres semblent incliner à l'indulgence, à la compréhension :

M. MARTIN. — [...] Ces sentiments sont explicables, humains, honorables...

Mᵐᵉ MARTIN. — Tout ce qui est humain est honorable.

Cette profession d'humanisme demeure platonique, car le naturel a vite fait de l'emporter :

Mᵐᵉ SMITH. — Je n'aime quand même pas la voir là... parmi nous...

M. SMITH. — Elle n'a pas l'éducation nécessaire...

Ce prétexte, certes, est un sophisme ; du moins a-t-il le mérite d'avancer un semblant de justification. Or Mᵐᵉ Martin, oubliant les belles paroles, sans doute apprises à l'école, qu'elle vient de prononcer, déclare sans ambages : « — *Moi je pense qu'une bonne, en somme, bien que cela ne me regarde pas, n'est jamais qu'une bonne...* » On ne se réfère plus à une insuffisance d'éducation, à laquelle il est théoriquement possible de remédier, mais à une infériorité de nature, contre laquelle on est sans ressources. Le racisme est profondément enraciné chez ces petits-bourgeois. Lorsque M. Smith conseille au Pompier d'aller voir s'il y a un incendie chez Durand, le Pompier s'excuse :

« — *Il n'est pas Anglais. Il est naturalisé seulement. Les natura-lisés ont le droit d'avoir des maisons mais pas celui de les faire éteindre si elles brûlent.* »

Pourtant, le conflit le plus violent, celui de la dernière scène, oppose des gens du même milieu et de la même race. Des signes avant-coureurs étaient déjà apparus à la scène 7. Mme Smith accueillait les Martin avec des paroles aimables, trop aimables, mais le maître de maison n'y allait pas par quatre chemins : « — *Nous n'avons rien mangé toute la journée. Il y a quatre heures que nous vous attendons. Pourquoi êtes-vous venus en retard ?* » On pourrait conclure du contraste entre les paroles courtoises de l'une et la grossièreté de l'autre que Mme Smith est bien élevée et son mari sans éducation. En fait, il s'agit d'un procédé dramaturgique, Ionesco faisant dire tout haut à M. Smith ce qu'il pense tout bas ; le véritable contraste se situe entre une convention sociale respectée dans un cas, violée dans l'autre. (Même procédé à la scène 3 où Mary reçoit les Martin sans aménité : « — *Pourquoi êtes-vous venus si tard ! Vous n'êtes pas polis. Il faut venir à l'heure. Compris ?* ») Tel est le drame des relations humaines ; en dépit de belles apparences, d'après Ionesco, l'homme sera toujours un loup pour l'homme.

Éros fait cependant bon ménage avec Arès, car il aime les armes, les combats, les flèches et la foudre ; le sang aussi. Cet enfant rieur s'insinue à la faveur d'une équivoque, on n'y prend pas garde et il en profite pour semer le désordre et la panique. Il entre à pas feutrés, en se cachant derrière le dos du capitaine des Pompiers : « — *Je n'ai pas le droit d'éteindre le feu chez les prêtres* — déclare celui-ci —. *L'Évêque se fâche-rait. Ils éteignent leurs feux tout seuls ou bien ils le font éteindre par des vestales.* » Le même personnage, apercevant la bonne, s'écrie : « — *C'est elle qui a éteint mes premiers feux.* » Le Pom-pier s'exprime comme un galant du xviie siècle et plaisante comme un contemporain de Diderot. Mais quand Mary ajoute : « — *Je suis son petit jet d'eau* », certaines spectatrices se voilent la face... A quoi rêvent les jeunes femmes et les moins jeunes ? Ce n'est pas par hasard si Mary récite un poème intitulé « le

Feu » ; sans doute veut-elle rendre hommage au capitaine des Pompiers qui fut son amant ; mais les psychanalystes s'accordent à reconnaître dans le feu le « *symbole de la libido* » [1]. Toutefois, plus que par les images, Ionesco suggère la libido par des rythmes. La dernière scène peut être interprétée dans ce sens. Aux dénouements primitifs, où l'agressivité et la provocation atteignaient leur paroxysme (cf. *Notes*, 163-64), l'auteur a substitué une conclusion où les halètements de colère ressemblent aux halètements de plaisir : « — *C'est ! — Pas ! — Par ! — Là ! — C'est ! — Par ! — I ! — Ci !* » On nous précise que le « *rythme est de plus en plus rapide* ». La lumière s'éteint. L'imagination du voyeur se donne libre carrière lorsque le couple qu'il observait disparaît soudain dans les ténèbres. De plus, l'obscurité évoque cet instant merveilleux et effrayant que nos ancêtres libertins appelaient « la petite mort ». Le délire cesse d'un coup, et la lumière revient. Ne seraient-ce pas là le rythme et les péripéties de l'acte sexuel (qui est aussi un acte agressif) ?

Peut-être aperçoit-on le secret de la fascination que *La Cantatrice chauve* exerce sur le public. Réveillant les deux instincts fondamentaux de l'homme primitif que chaque spectateur porte en lui, l'Éros et l'instinct de destruction, elle agit à coup sûr, non pas d'une manière réaliste, qui provoquerait des réactions indignées, mais d'une façon voilée, détournée. La conscience ne peut opposer une censure ; c'est l'inconscient qui est touché.

---

1. Il existe à cet égard un texte très révélateur d'Adamov : « *Si je joue les plus grandes décisions, si je parie mon destin sur la survie plus ou moins longue de la flamme d'une allumette dans le noir, ou bien encore, si je ne me décide à pénétrer l'obscurité hostile de toute chambre close qu'à la seule condition d'avoir aux lèvres une cigarette allumée, c'est qu'il y a entre la flamme et la puissance virile une parenté profonde, alors que l'obscurité humide et creuse que la flamme combat symbolise le mystère sombre du sexe de la femme, éteignoir de la flamme. La survie de la lueur signifie la turgescence victorieuse du sexe de l'homme pénétrant la femme...* » *L'Aveu*, p. 90.

le couteau tue

L'USAGE s'est établi de jouer *La Leçon* à la suite de *La Can-tatrice chauve*. N'est-ce point la même pièce ? Des gens faute de se comprendre finissent par s'empoigner, libérant leurs instincts sauvages. Et ce n'est pourtant pas la même pièce ; d'un côté, les fauves se dévorent entre eux, de l'autre le petit Chaperon rouge est croqué par le grand méchant loup.

Plus que *La Cantatrice*, *La Leçon* appartient au théâtre de la cruauté. Les voiles de la décence sont déchirés par l'animal en rut. La limite du tolérable est atteinte lorsque le professeur allonge à l'élève un grand coup de couteau, en poussant un « *Aaah !* » qui donne le frisson, d'autant plus que la victime crie « *Aaah !* » à l'unisson, affalée sur sa chaise, dans une « *atti-tude impudique* », « *les jambes très écartées* », précisent les notes de mise en scène. Le meurtrier frappe une seconde fois, « *de bas en haut* » ; ce geste accompli, il a « *un soubresaut bien visible, de tout son corps* ». Il s'éponge le front, et bredouille haletant : « — *Salope... C'est bien fait... Ça me fait du bien... Ah ! Ah ! je suis fatigué... j'ai de la peine à respirer... Aah !* »

Pour atteindre ce degré de violence, la structure a été sim-plifiée, condensée et resserrée au maximum. On compte six rôles et six personnages dans *La Cantatrice*, trois rôles et, comme on le verra, deux personnages seulement dans *La Leçon*. Chez les Smith, chacun entre et sort à sa guise ; les coïncidences sont fortuites, bizarres autant qu'étranges. C'est le hasard qui fait venir, justement ce soir-là, le capitaine des pompiers ; c'est par hasard que le même soir les Martin, habitants de Manchester, se trouvent chez les Smith, citoyens de Londres. C'est par hasard que Mary est la bonne ; aucun lien de sympathie ou d'intérêt ne l'unit à ses maîtres qui demain la mettront à la porte pour la remplacer par n'importe qui. En un mot, la structure de *La Cantatrice chauve*, quoique très cohérente, est « détendue ». Il en va autrement de *La Leçon*, où la nécessité détrône le hasard. La bonne du professeur est irremplaçable, car elle est une mère, une épouse, et avant tout une conscience. L'élève se rend chez le professeur, parce que des leçons particulières lui sont indispensables pour préparer, en un temps record, des examens difficiles ; le professeur reçoit nécessairement l'élève, car il vit des leçons qu'il donne.

Certes, les critiques n'ont pas manqué de signaler que la structure des deux pièces est « *circulaire* », la dernière scène répétant la première ; l'analogie est évidente, mais demande à être précisée. Nous avons découvert dans *La Cantatrice* une série de courbes en cloche, distinctes les unes des autres ; or il n'y a qu'une seule courbe dans *La Leçon*. La tension dramatique s'élève par paliers, sans solution de continuité, puis descend d'un coup.

Il ne faut guère en conclure que *La Leçon* n'est qu'une version concentrée de *La Cantatrice*. Sa structure présente au contraire une double originalité qui consiste d'une part dans l'emploi des « points de vue », d'autre part dans l'objectivation d'une présence intérieure. Nous empruntons l'expression « point de vue » à la technique romanesque. Il s'agit du poste d'observation par rapport auquel se déroule l'action. Dans *La Cantatrice*, ce lieu idéal est situé en dehors du lieu scénique, et on peut le qualifier d'objectif. Le spectateur jette le même regard sur les six personnages, il les voit de l'extérieur, sans qu'un écran s'interpose. En revanche, dans *La Leçon*, l'élève est vue à travers le professeur, et le professeur par rapport à l'élève. Le « point de vue », subjectif, change brusquement, mais une seule fois, dans la partie ascendante de la courbe. On voit d'abord l'élève avec les yeux du professeur. Elle est jolie, vive, gaie, dynamique, et bien élevée, cette petite. Vraiment charmante. Tant de jeunesse et de charme spontané trouble le vieux célibataire, qui cache mal son émotion : « *... Je m'excuse... Vous m'excuserez... Mes excuses...* », bégaye-t-il à tout propos et hors de propos. Il ne sait plus trop où il en est et lâche des bêtises, en voulant se montrer aimable : « *... Il fait beau aujourd'hui... ou plutôt pas tellement... Oh ! si quand même. Enfin, il ne fait pas trop mauvais, c'est le principal... Euh... euh... Il ne pleut pas, il ne neige pas non plus.* » Et l'élève de manifester sa surprise : « *— Ce serait bien étonnant car nous sommes en été.* » Des pensées folles traversent le cerveau du barbon en présence de ce tendron qui ne sent pas sur son visage passer le souffle de la bête. Le professeur tente de se maîtriser, mais un rien suffit pour exciter sa lubricité, qu'il s'efforce de cacher sous un aspect patelin. Sur le ton de Grippeminaud, le bon apôtre, il demande : « *— Parfait, Mademoiselle. C'est parfait. Alors, si cela ne vous ennuie pas... pouvons-nous commencer ?* » L'élève docile répond : « *— Mais oui, Monsieur, je suis à votre disposition, Monsieur.* » Le maître rugit presque : « *— A ma disposition ?...* (Lueur dans les yeux vite éteinte, un geste qu'il réprime.) *Oh, Mademoiselle, c'est moi qui suis à votre disposition. Je ne suis que votre serviteur.* » Tant d'hypocrite humilité laisse percer une sensualité aux abois. Tartuffe, « *esclave indigne* », aux pieds d'Elmire. L'homme trahit son émoi en se frottant nerveusement les mains. Cependant la leçon d'arithmétique commence. Le plan en est simple et logique : addition, soustraction, multiplication. Pris par la routine du métier, le maître retrouve un peu de calme. Il aura recours aux méthodes pédagogiques les plus éprouvées : partir d'évidences simples, rendre les opérations concrètes à l'aide d'allumettes et de bâtons dessinés au tableau. Avec une conscience professionnelle admirable, il n'épargnera pas sa salive pour inculquer à l'élève les éléments de base. Le début, du reste, est encourageant. « *— Combien font un et un ? — Un et un font deux. — Oh, mais c'est très bien. Vous me paraissez très avancée dans vos études. Vous aurez* *facilement votre doctorat total.* » L'effet de grossissement est appuyé ; mais n'est-on pas porté à admirer ce qu'on désire ? A le détruire aussi, pour le mieux posséder. Il est curieux cependant que l'arithmétique puisse mener au délire ; pour cela, il suffit que l'élève, si experte en additions, se montre incapable de soustraire. Une tête de mule qui ne saisit pas la démonstration la plus enfantine. Une tête à gifles. L'énervement du professeur se manifeste à travers les exemples qu'il choisit : « — *Si vous aviez eu deux nez, et je vous en aurais arraché un... Combien vous en resterait-il maintenant ?* » L'élève ne comprenant toujours pas, le maître est prêt à devenir anthropophage : « — *Vous avez deux oreilles, j'en prends une, je vous en mange une, combien vous en reste-t-il ?* » « — *Deux* », réplique l'élève sans sourciller. Le professeur insiste désespérément : « — *J'en mange une... une.* » Même réponse : « — *Deux* ». « — *Une* », insiste le maître. « — *Deux* », répète l'élève. La machine s'emballe : « — *Une ! — Deux ! — Une ! ! ! — Deux ! ! ! — Une ! ! ! — Deux ! ! ! — Une ! ! ! — Deux ! ! !* » L'homme en fureur va-t-il se jeter sur sa proie ? Pas encore. Il refrène ses instincts dans un effort méritoire : « *Non. Non. Ce n'est pas ça. L'exemple n'est pas... n'est pas convaincant. Écoutez-moi* ». La tension est tombée ; le sens du devoir pédagogique l'emporte, et la voix du bon sens se fait entendre : « ... *Mademoiselle, si vous n'arrivez pas à comprendre profondément ces principes, ces archétypes arithmétiques, vous n'arriverez jamais à faire correctement un travail de polytechnicien* [...] *Je crains que vous ne puissiez vous présenter au concours du doctorat total... Nous tâcherons de vous préparer pour le passage, au moins, du doctorat partiel...* » En somme, le professeur a une attitude beaucoup plus normale qu'au début ; il a retrouvé son équilibre, après des instants d'égarement. Certes, il fait part de son mécontentement, justifié d'ailleurs, mais en termes modérés. Et soudain tout craque ; ce calme annonçait l'ouragan.

La leçon de philologie amène un changement brutal de « point de vue ». Auparavant, l'élève, séduisante physiquement, découvrait sa stupidité intellectuelle, car le point de vue du maître

était imposé au spectateur. A présent, le professeur, naguère
si bon pédagogue, va se lancer dans un développement vaseux,
puis carrément absurde, parce que l'élève le trouve tel. Tout
à l'heure, nous regardions, pour ainsi dire, l'élève par-dessus
l'épaule du maître ; maintenant, c'est l'inverse. Il convient
toutefois d'admettre une part de vérité objective ; l'arithmétique, science exacte, propose des principes clairs et des résul-
tats sûrs, alors que la linguistique, science humaine, ne peut
prétendre aux mêmes qualités. Il n'en reste pas moins que si
la leçon est incompréhensible, c'est avant tout parce que l'élève
ne la comprend pas. Un procédé dramaturgique extériorise
cette situation intérieure, car se trouvent placées dans la bouche
du professeur non pas les paroles que le professeur prononce,
mais celles que l'élève entend. La tirade des *f* offre un exemple
caractéristique à cet égard :

J'avais au régiment, un camarade, vicomte, qui avait un défaut
de prononciation assez grave : il ne pouvait pas prononcer la lettre
« f ». Au lieu de « f », il disait « f ». Ainsi, au lieu de : fontaine, je
ne boirai pas de ton eau, il disait : fontaine, je ne boirai pas de ton
eau. Il prononçait fille au lieu de fille, Firmin au lieu de Firmin,
fayot au lieu de fayot, fichez-moi la paix au lieu de fichez-moi la paix,
fifi, fon, fafa, au lieu de fifi, fon, fafa ; Philippe, au lieu de Philippe ;
fictoire au lieu de fictoire ; février au lieu de février ; mars-avril
au lieu de mars-avril ; Gérard de Nerval et non pas, comme cela
est correct Gérard de Nerval ; Mirabeau au lieu de Mirabeau, etc.
au lieu de etc., et ainsi de suite etc, au lieu de etc, et ainsi de suite,
etc. Seulement il avait la chance de pouvoir si bien cacher son défaut,
grâce à des chapeaux, que l'on ne s'en apercevait pas.

Lorsqu'il était professeur de français à Bucarest, Ionesco n'a
pas manqué de se rendre compte combien est ardu l'enseignement de la phonétique. Nul n'ignore, par exemple, que certains étrangers ont de la peine à distinguer notre *é* de notre *è*.
Le spectateur a beau tendre l'oreille, il ne perçoit pas ce « *défaut
de prononciation assez grave* » remarqué par le philologue chez
son camarade vicomte. Pourtant ce défaut existe, sans doute,
mais le spectateur ne le distingue pas, parce que l'étudiante ne
le distingue pas. En d'autres termes, le spectateur écoute avec

les oreilles de l'étudiante, et même pense avec son cerveau. A partir de l'exemple « *Philippe* », l'attention de la malheureuse se relâche. Ce nom de Philippe suscite une vague réminiscence historique : un roi qui a remporté une victoire, ou plutôt une « *fictoire* », puisque le son *f* domine. Elle entend le professeur dire « *février* » et elle ajoute mentalement « *mars-avril* ». Sa cervelle bourdonne ; des bribes de leçons de littérature et d'histoire lui viennent à l'esprit spontanément et sans raison : Gérard de Nerval, Mirabeau, tandis qu'elle ne parvient plus à suivre la leçon de phonétique, percevant un bruit de mots dans un demi-sommeil : « *au lieu de etc., et ainsi de suite etc., au lieu de etc., et ainsi de suite, etc.* » Elle se réveille quand le professeur arrive à la conclusion : « *Seulement il avait la chance de pouvoir si bien cacher son défaut...* » La pensée de l'élève vagabonde : défaut — chapeaux, les chapeaux cachent les défauts, les cheveux mal peignés, les *f* mal prononcés.

Son crâne d'enfant surmené est en feu ; l'ébranlement de son système nerveux provoque une rage de dents. Elle n'est plus en état de réfléchir, ce qui irrite le professeur :

— M'écoutez-vous, Mademoiselle ? Aah ! nous allons nous fâcher.
— Vous m'embêtez, Monsieur ! J'ai mal aux dents.
— Nom d'un caniche à barbe ! Écoutez-moi !

Elle éprouve une douleur si lancinante qu'elle devient agressive, mal polie, elle naguère déférente et soumise. Il se peut du reste qu'elle ait pensé sa réplique au lieu de la dire à haute voix. Ce procédé, déjà employé dans *La Cantatrice*, se justifie d'autant mieux que dans cette partie de la pièce le spectateur est mis à la place, voire dans la peau de l'élève. Cependant le professeur, emporté par son exposé sur les langues dites néo-espagnoles, semble de nouveau avoir retrouvé son assiette. Sa patience est pourtant mise à rude épreuve. Exaspéré de gaspiller ses forces et sa science, il devient grossier : « ... *Mademoiselle, Mademoiselle, je dis ça pour vous ! Merde alors !* » Au milieu d'une démonstration incohérente, seule l'injure est claire, car seule elle est perçue par l'auditrice, tirée une seconde de sa torpeur. Quand pour la vingt-neuvième fois, très exactement, le professeur entend dire « *J'ai mal aux dents* », il n'y tient plus : « — *Silence ! ou je vous fracasse le crâne !* » A la menace la jeune fille réplique par la provocation : « — *Essayez donc ! crâneur !* » On ne peut prétendre que l'agressivité de cet être vidé de sa substance est réelle ; il convient plutôt d'y voir le simple reflet de celle de l'adversaire, comme « *crâneur* » n'est que l'écho de « *crâne* ». Et le professeur reprend son cours. Faut-il admirer une si grande conscience professionnelle ou déplorer une routine tellement imperturbable ? L'élève souffre de plus en plus, et la douleur se répand dans toutes les parties du corps : « *Ma gorge... mes épaules... mes seins... mes hanches... mes cuisses... mon ventre...* » Le sadique brandit son couteau.

La représentation pourrait se terminer sur ce meurtre, laissant la sensibilité des spectateurs bouleversée. En fait, Ionesco a cru bon d'y ajouter une « moralité ». Sa passion assouvie, l'instinct provisoirement satisfait, l'homme reste en tête à tête avec sa conscience, le professeur seul en face de sa bonne. Marie a beau aller ouvrir la porte et chercher une assiette dans le buffet, ses activités ménagères, au reste mineures, ne peuvent donner le change. Elle est la CONSCIENCE qui ne manque pas de prodiguer des avertissements, chaque fois qu'on s'engage dans de mauvais chemins : « — *L'arithmétique, ça fatigue, ça énerve* » ; « *La philologie mène au pire* ». Mais l'homme fait taire la voix intérieure : « — *Marie, je n'ai que faire de vos conseils.* » ; « — *Je suis majeur, Marie !* » Parvenu au paroxysme de l'exaltation, il appelle la bonne pour lui demander un couteau. Celle-ci arrive de mauvais gré, alors que dans les scènes précédentes elle se présentait spontanément. L'homme essaye de s'assurer la complicité de sa conscience, mais en vain : « — *Ne comptez pas sur moi* », déclare Marie, sur un ton sévère ; et elle s'en va. Après le meurtre, le coupable crie dans son affolement : « — *Marie ! Marie ! Ma chère Marie, venez donc !* », mais il tente de la congédier dès qu'elle ouvre la porte. On ne se débarrasse pas aussi facilement d'un remords. Le professeur a le front de nier l'évidence : « — *Ce n'est pas ma faute !* » La

bonne ne s'en laisse pas conter : « *Menteur !...* » Et elle le désarme
sans coup férir lorsqu'il s'apprête à la poignarder dans le dos.
Si l'homme ne peut tuer sa conscience, il conserve des chances
de la fléchir, par des faux-semblants et de faux serments. La
bonne se radoucit, en voyant sangloter son maître : « — *Au
moins, vous le regrettez ?* » Le criminel saisit la perche : « — *Oh,
oui, Marie, je vous le jure !* » Le pardon est aussitôt accordé,
avec une tendre recommandation : « — *Mais ne recommencez
pas... Ça peut vous donner une maladie de cœur...* » Il s'en faut
de peu que le bourreau ne paraisse plus à plaindre que la victime. Encore convient-il de trouver une justification vis-à-vis
des autres et de soi-même. Marie sort un brassard portant un
insigne, peut-être la Svastica nazie : « — *Tenez, si vous avez
peur, mettez ceci, vous n'aurez plus rien à craindre... C'est politique.* » On camoufle le crime passionnel en crime idéologique,
et la responsabilité individuelle se dilue dans la culpabilité
collective. Car les mots d'ordre, les doctrines, selon Ionesco,
« *ne sont et n'ont jamais été que des alibis, les masques, les prétextes de cette volonté de meurtre, de l'instinct destructeur, d'une
agressivité fondamentale, de la haine profonde que l'homme a
de l'homme* » (*Notes*, 138).

La scène finale de *La Leçon*, loin d'être un appendice super-
fétatoire, apparaît comme un complément essentiel. Cependant
l'auteur se garde bien d'exposer sa philosophie personnelle à
l'aide de dissertations didactiques ; il ne la suggère que par
des moyens dramaturgiques. D'abord, le changement de point
de vue rend sensibles l'absence de communication entre les
êtres, la fragilité du langage et de la logique, conquêtes aléa-
toires de la civilisation, que les instincts primitifs, agressivité
et érotisme, détruisent au premier signal. En outre, le débat
intérieur du coupable est représenté objectivement par le dialogue avec la bonne, présence intérieure matérialisée. Si elle
ne peut récuser les faits, la conscience n'en accorde pas moins
l'absolution au meurtrier. Le rideau tombe, les lampions
s'éteignent, et le spectateur s'en va en emportant l'impression
qu'il est, lui aussi, un assassin...

cot-cot-codac !

Non, M. Ionesco n'est pas un dramaturge aimable. A peine nous a-t-il infligé *La Leçon* qu'il nous impose *Jacques.* Pour porter notre confusion à son comble, il nous fait assister à un spectacle que des magistrats qualifieraient à bon droit d'attentat à la pudeur. Nous rougissons et, tête basse, nous battons notre coulpe, d'autant plus honteusement que nous sommes complices. Et pourtant *Jacques ou la Soumission* est une pièce rose, comparée à la précédente ; aucun crime sadique ne s'y commet, un mariage bourgeois est conclu au dénouement. Nous ne nous méfions pas d'abord ; les personnages sont des fantoches, dont nous rions sans arrière-pensées, car ils se tiennent à distance ; mais sans préavis ils nous tendent un miroir, et nous apercevons notre visage tordu par une grimace lubrique.

Comme *La Leçon*, *Jacques* est divisé en deux mouvements. Le passage de l'un à l'autre ne se produit pas par un renversement de points de vue, mais par un effet de contrastes : Jacques refuse de se marier — Jacques accepte de se marier. Toutefois il s'agit moins d'une modification de comportement que d'un changement de ton et de structure ; en somme, ce n'est pas un personnage, c'est la pièce tout entière qui effectue un subit mouvement de rotation et montre une face inconnue.

Jacques est d'abord une « *caricature de théâtre de boulevard* » (*Notes*, 172). Un fils révolté finit par se soumettre à la volonté de sa famille ; on reconnaît le sujet de *La Dame aux camélias* et d'autres drames de la même inspiration. Jadis et naguère, certains parents avaient tendance à abuser de leur autorité ; de nos jours, ils feraient plutôt preuve d'un libéralisme excessif. La pièce de Ionesco est volontairement inactuelle. Les personnages portent le melon ou le haut-de-forme, et leurs mœurs sont celles de l'autre siècle. Jacques est tenu non seulement d'adopter tous les préjugés (y compris les préjugés culinaires) de sa famille, mais encore il doit épouser la jeune fille qu'on lui présente ; nous sommes donc revenus à des temps très anciens. La mise en scène souligne le caractère désuet de cette intrigue : le mobilier est « *usé, poussiéreux* », les chaises boîteuses, les canapés défoncés, les vêtements des personnages fripés. On a tiré ces vieilleries de l'armoire aux souvenirs.

On assiste à une sorte de ballet bouffon. Les membres de la famille viennent successivement adjurer l'enfant prodigue, immobile au milieu du plateau, « *effondré sur le fauteuil également effondré*, [...] *le chapeau sur la tête*, [...] *l'air renfrogné, rosse* ». Chacun y va de son couplet moralisateur, récitant les paroles conventionnelles apprises dans vingt ou cent drames antérieurs :

La mère : « — *Mon fils, mon enfant, après tout ce que l'on a fait pour toi. Après tant de sacrifices ! Jamais je n'aurais cru cela de toi. Tu étais mon plus grand espoir...* »

La grand-mère : « — *Écoute, écoute-moi bien, j'ai de l'expérience...* »

Le père : « — *Tu n'es pas mon fils. Je te renie. Tu n'es pas digne de ma race.* »

Ces gens respectables, s'embrouillant dans leurs phrases stéréotypées, finissent par dire crûment, ingénument ce qu'ils pensent. Lorsque le héros capitule, de guerre lasse, son père lui pardonne, mais en quels termes ! « — *J'oublie, bien involontairement d'ailleurs, toutes tes fautes de jeunesse ainsi que les miennes...* » La mère, en faisant étalage de son dévouement et de ses sacrifices, manifeste des tendances sadiques : « — *Ah, fils ingrat, tu ne te rappelles même pas quand je te tenais sur mes genoux, et t'arrachais tes petites dents mignonnes, et les ongles de tes orteils pour te faire gueuler comme un petit veau adorable.* » Quant à la sœur, elle menace de prendre des sanctions : « — *Tu n'es pas bien élevé. Je te punirai. Je ne t'amènerai plus mes petites camarades pour que tu les regardes quand elles font pipi.* » Enfermés dans leur obsession, où domine un érotisme demeuré à un stade infantile, ces bourgeois, mesquins et vulgaires, se drapent, quand les circonstances l'exigent, dans un style noble ; faute d'imagination, ils répètent des citations littéraires et des mots historiques qui traînent partout. Jacqueline s'efforce d'amener Jacques à résipiscence :

JACQUES. — Hélas, bon sang ne peut mentir !
JACQUELINE. — Ah, enfin ! le voilà le grand mot lâché !
JACQUES. — Montre-toi digne sœur d'un frère tel que moi.
JACQUELINE. — Loin de moi cette faute. [...] Ces histoires ne me regardent pas. Mais l'Histoire nous regarde !
JACQUES. — O paroles, que de crimes on commet en votre nom !

C'est de la culture au rabais, ou plutôt, comme dirait Ionesco, de l'anti-culture. Car ces bourgeois, qui ont un tel souci des belles apparences, ignorent le beau langage, commettent sans cesse des méprises fâcheuses. Le père de Jacques s'écrie : « — *C'est la véracité !* », alors qu'il devrait dire : « C'est la vérité ! » Quant à Robert père, il demande « *des réparations, des excuses, des explications, et un lavement total de notre honneur...* »

Les mots sont non seulement employés à contresens, mais le plus souvent ils sont déformés. Jacqueline signale que son frère « *prend un air dégoutanté* » ; à quoi la mère ajoute : « — *J'ai mis au monde un mononstre* ». La grand-mère est dite « *octogénique* », le grand-père « *centagenaire... comme les Plantagenets !* » Bien qu'il ait été élevé « *comme un aristocrave* », Jacques, d'après sa famille, se conduit comme un « *vilenain* » et un « *praticide* ». Il est inutile de multiplier les exemples de ce procédé, dont les origines sont fort anciennes. Nous mentionnerons seulement, parce qu'elles sont une forme d'anti-théâtre, les parades du XVIIIᵉ siècle. Elles se caractérisaient par des personnages conventionnels, animés par des passions bestiales, parlant un langage artificiel, plein de liaisons vicieuses, de termes orduriers, d'équivoques sales, de mots défigurés [1]. Il ne serait peut-être pas téméraire de penser que la fameuse pièce de Jarry, pour laquelle Ionesco a une grande admiration, se situe dans cette tradition. Le père Ubu dit *oneilles* pour *oreilles*, et prononce en six lettres le mot, le MOT ; de plus, comme les personnages de parade, il incarne, d'après son créateur, « *l'éternelle imbécilité humaine, l'éternelle luxure, l'éternelle goinfrerie, la bassesse de l'instinct érigée en tyrannie* ».

Le langage se décompose parce que l'homme se décompose. La crise de la parole est le symptôme de la crise de l'intelligence, c'est-à-dire de la crise de la société qui ne sait plus désigner les choses par leur vrai nom ni leur donner leur vraie valeur. Les invectives même deviennent déconcertantes ; on traite Jacques d'*actographe* (sur le modèle de pornographe), de *marsipien* (d'après marsupial ?), et surtout de *chronométrable*, qualificatif mystérieux qui fait pousser un cri d'angoisse au héros : « *Chro-no-mé-trable !* [...] *Mais, ce n'est pas possible ! Ce n'est pas possible ! Chronométrable ! Chronométrable ! Moi ? Ce n'est pas possible ; et si c'est possible, cela est affreux.* » Martin Esslin propose la définition suivante : « *soumis à la marche du temps, soumis à la loi de la montre* » [2]. Autrement dit, Jacques ne peut échapper ni à son milieu ni à son destin. Quand il en prend conscience, la mort dans l'âme, il fait amende honorable : « *Eh bien oui, oui, na, j'adore les pommes de terre au lard !* » Au moment où les familles tombent d'accord pour conclure le mariage de Jacques et de Roberte, Jacques père élève une objection étrange : « *— Une seule incertitude : est-ce qu'il y a les troncs ?* » *Troncs* comme *chronométrable* nécessite une traduction. Les troncs, dans une église, sont destinés à recevoir les

---

1. Voici, à titre d'échantillons, deux répliques tirées de *L'Amant poussif* :
« LÉANDRE. — *Je baise par avance ces agriables mamelles, qui me gonflent de plaisir.*

ISABELLE. — *Ne testiculez point tant, Monsieur...* » (*Théâtre des Boulevards ou Recueil de parades*, 1756, II — 43).
2. *Théâtre de l'Absurde*, p. 142.

oboles. Jacques père demanderait donc si sa future bru a une dot. Cependant le contexte suggère un autre sens, celui que retient probablement le spectateur, mis en condition par les répliques précédentes. Robert père vient en effet de détailler les avantages physiques de la fiancée : « *Elle a des pieds !... de la main !... des orteils... des aisselles... des hanches... des seins... une langue...* » Jacques père, trouvant l'énumération incomplète, juge opportun de s'inquiéter des *troncs*, ce qui provoque le rire égrillard du grand-père. Ces boîtes munies d'une fente, par laquelle on introduit des pièces de monnaie, représentent symboliquement l'organe féminin et sa fonction. En somme, Jacques-père tient à savoir si Roberte est apte au mariage. Robert-mère s'indigne d'une telle indiscrétion : « — *Ah ça...* » Robert-père bafouille de confusion : « — *Je crois... heu... oui... ils doivent y être... mais je ne saurais vous dire...* »

La venue de la fiancée plonge l'assistance dans une sorte de frénésie érotique. La pantomime qui la traduit relève de la parade libertine ; la parodie du drame bourgeois qui n'a été qu'un prétexte au départ est désormais complètement oubliée. On flaire la jeune fille, on la touche, on la caresse, on soulève sa robe. Les futurs beaux-parents échangent « *des coups d'œil et des gestes gaillards* » ; le vieux grand-père « *voudrait en faire plus* », s'il n'était empêché par la grand-mère qui dit en chevrotant : « — *Dis... donc... Non... mais... dis... donc... tu me rends... jalouse !* » L'érotisme frappé d'impuissance, soit que la vieillesse soit que les conventions sociales s'opposent à la satisfaction de l'instinct, s'exprime par des moyens eux-mêmes « dévoyés ». A défaut de posséder la jeune fille, on a envie de la manger, avec d'autant plus d'appétit qu'elle a des pieds « *truffés* » (cf. le « *Mange-toi les pieds à la Sainte-Menehould* » d'Apollinaire), « *une langue à la sauce tomate, des épaules pannées, et tous les biftecks nécessaires à la meilleure considération* ». Roberte n'est pas une esclave que l'on vend ; c'est de la viande que l'on expose, avant de la débiter.

Le dégoût de Jacques est bien compréhensible. S'il refuse cette fiancée, ce n'est pas parce qu'elle a deux nez, au contraire : « — *Non ! non ! Elle n'en a pas assez ! Il m'en faut une avec trois nez. Je dis : trois nez, au moins !* » Satisfaction lui est sur-le-champ donnée, mais il repousse la nouvelle Roberte : « — *Non, je n'en veux pas. Elle n'est pas assez laide ! Elle est même passable. Il y en a de plus laides. J'en veux une beaucoup plus laide.* » Peut-être espère-t-il qu'une femme hideuse refroidira les désirs de la meute familiale.

Cependant lui-même va subir, malgré qu'il en ait, la loi de l'instinct. Resté seul avec « *l'élue malgré lui de son cœur* », il garde toujours son chapeau sur la tête et conserve sa mine renfrognée. Roberte tente de le dérider ; elle représente l'acception souriante de l'existence, alors que Jacques incarne le refus de la vie. Elle raconte un de ses rêves ; dans la baignoire « *pleine jusqu'au bord* », elle a vu un cochon d'Inde tout blanc qui « *respirait sous l'eau* », comme le fœtus dans le liquide placentaire. Et cet animal, quoique apparemment embryonnaire, portait en lui deux petits « *humides et mous* », qui poussaient à vue d'œil. L'histoire pourrait continuer indéfiniment, si Jacques n'interrompait d'un ton froid : « — *Ce petit animal dans l'eau, mais c'est le cancer !* » Car Jacques, dans la multiplication des cellules, ne veut voir qu'un phénomène morbide. A l'âge de la puberté, il a découvert la tragédie de l'existence : « *Lorsque je suis né, je n'avais pas loin de quatorze ans.* » Il a vite compris, et dit carrément qu'il ne voulait pas « *accepter la situation* », qu'il aimait mieux se retirer. On lui a fait des promesses pour le retenir, et on lui a même montré, pour l'amadouer, ce que la nature et l'art offrent de meilleur, « *des sortes de prairies, des sortes de montagnes, quelques océans [...], un astre, deux cathédrales choisies parmi les plus réussies* ». Jacques était près de se laisser séduire, lorsqu'il s'est aperçu que « *tout était truqué* », qu'il était victime d'une imposture générale : « *les gens... ils avaient tous le mot bonté à la bouche, le couteau sanglant entre les dents.* » Les mots n'ont pas de sens, seule l'agressivité existe ; c'est d'ailleurs la leçon que Ionesco inculque sans relâche aux spectateurs. Mais à quoi bon les mises en garde ? La vie, les instincts qui assurent sa conservation et sa reproduction finissent par emporter la balance. Jacques s'intéresse beaucoup, et comme malgré lui, aux histoires de chevaux racontées par Roberte. Une cité morte, écrasée par le soleil du Sahara, pas un homme dans les rues, pas une bête : « — *Métropole de mon futur !...* » s'écrie Jacques. Mais la vie triomphe de la mort ; dans le lointain, Roberte fait entendre à Jacques les hennissements d'un étalon : « *han ! han ! se rapprochant han ! han ! han ! han !* » Et Jacques, soudain heureux, sans motifs raisonnables, se met à hennir en écho : « *Han ! han ! han !* » Ces halètements rythmés et conjugués, comme les « *Aaah !* » de *La Leçon*, évoquent l'orgasme. D'après les psychanalystes, « *le cheval représente l'élan biologique, l'énergie naturelle, ou, dans un sens plus large, la sphère de l'inconscient instinctuel* »[1]. Dans les rêves, il est souvent le symbole de l'acte sexuel[2]. Entre le cheval et le feu, qui représente la libido, de grandes affinités existent[3]. Les sabots de la monture qui emporte Jacques et Roberte «*jettent des étincelles* » ; la crinière s'enflamme : « — *Dépêchons-nous... dépêchons-nous* », supplie Jacques affolé et torturé par le désir. La bête bondit : « — *Oh quels bonds flambants, flambants, flambants !* » Le plaisir suprême s'annonce, et en même temps annonce la fin de cette exaltation des sens, à la fois douloureuse, et pleine d'intenses délices : « — *Arrêtez, arrêtez, Roberte,* murmure Jacques. *C'est trop vite... pas si vite* [...] *Ça va finir !... Fais durer encore le feu...* » Mais d'un coup l'étalon se transforme en torche vivante ; l'instant d'après, il ne reste qu'une « *poignée de cendre* ». Jacques retombe, ravi et épuisé, la gorge brûlée par la soif. L'émerveillement de Roberte dure encore : « *... Je suis humide... Sous des couvertures trempées on fait l'amour... On y gonfle de bonheur ! Je t'enlace de mes bras comme des couleuvres ; de mes cuisses molles... Tu t'enfonces et tu fonds... dans mes cheveux qui pleuvent, pleuvent...* »

1. G. ADLER, *Essais sur l'analyse jungienne*, p. 166. Cf. JUNG, *L'Homme à la découverte de son âme*, p. 312 ; *Métamorphoses de l'âme et ses symboles*, p. 456.

2. ALLENDY, *Les Rêves expliqués*, p. 45.

3. JUNG, *Métamorphoses de l'âme et ses symboles*, p. 460.

Si ces évocations sexuelles risquent de troubler le spectateur, il est peu probable qu'elles lui répugnent. Elles suggèrent
un acte normal, le délire de la chair et de l'esprit qui entoure
la réalité vulgaire d'une auréole de flammes. Ce qui en revanche
fait naître « *un sentiment pénible, un malaise, une honte* », c'est
aussitôt après le mariage des jeunes gens le retour sur le plateau des deux familles, avec leurs gestes obscènes et leurs
« *gémissements de bêtes* ». La structure de cette pièce ne repose
donc pas sur un artifice technique ; son contraste correspond
à deux formes d'érotisme : l'un pervers, incapable de donner
la vie ou la mort, présenté sous une forme appuyée qui tient
de la parade plus que de la parodie ; l'autre inévitable et sain,
clef du septième ciel, évoqué dans un style dont la poésie compense les hardiesses du réalisme.

*

L'Avenir est dans les œufs constitue une sorte de suite à
Jacques ou la Soumission. La seconde pièce comme la première est bâtie sur une série de contrastes, d'antagonismes et
de renversements de situation, mais en fait la structure n'est
pas la même. L'érotisme en est exclu, ce qui distingue *les
Œufs* des œuvres antérieures. Jacques et Roberte, mariés depuis
trois ans, se sont enfermés dans un univers merveilleux où la
tendresse l'emporte sur la passion brûlante. A longueur de
journée, ils se font des « chateries », sans se soucier d'assurer
la continuité de la race. Les familles s'inquiètent, s'indignent
et se liguent contre ces amoureux pour qui le monde extérieur
est aboli. Deux groupes qui ont les pieds sur terre s'opposent
donc à un couple dont la tête se perd dans les nuées ; mais si
le couple est parfaitement uni, les groupes, alliés pour la cir-
constance, ne dissimulent guère leur hostilité fondamentale :
les Jacques accusent Roberte de stérilité, alors que les Robert
défendent l'honneur de leur fille en mettant en cause celui de
leur gendre. Jacqueline reçoit mission de tirer Jacques et
Roberte de leur sommeil. Secoués sans ménagement, ceux-ci

cessent enfin de ronronner et de « *chatoyer* ». Leur réveil s'accompagne de sensations pénibles : « — *J'ai faim... J'ai froid* », murmurent-ils tout tremblants. Au contraire, les parents expriment leur satisfaction. La vieille grand-mère apporte une terrine de pommes de terre au lard que les jeunes mariés dévorent goulument. La signification de ce rite alimentaire est transparente ; Jacques et Roberte vont sortir de leur enchantement pour être confrontés avec les réalités les plus basses.

Les familles s'empressent d'imposer aux rebelles les cérémonies conventionnelles qui accompagnent les deux termes extrêmes de la vie. La parodie reprend alors ses droits. Avec les précautions d'usage, on annonce à Jacques que son grand-père est mort. Jacques ne manifeste aucune émotion et chacun se scandalise d'une telle indifférence. Jacques-mère se charge de rétablir l'ordre, en faisant vibrer la corde sensible de son fils ; après un moment d'hésitation, Jacques pousse des sanglots déchirants. La famille, enfin satisfaite, pleure avec délices. Les Robert vont serrer frénétiquement la main des Jacques, et répètent à satiété : « *Nos chaleureuses cordoléances ! cordoléances ! cordoléances ! nos sincères cordoléances...* » On ne peut mettre mieux en relief ce qu'il y a de convenu et de factice dans ce genre de démonstrations, d'où sont absents les sentiments sincères.

Un cadre énorme contient le portrait du défunt, c'est-à-dire le grand-père Jacques lui-même qui sourit et fait des signes de tête amicaux, content des regrets que l'on témoigne à sa personne. Cependant, grisé par la gloire posthume, il veut chanter :

Jacques-Grand-Mère. — Tu ne vas pas te remettre à chanter... Tu es mort. Tu es en deuil.

Jacques-Grand-Père. — Non... Non... Non... Ça ne fait rien... Je veux chanter...

Jacques-Père, *au grand-père*. — Si tu ne respectes pas ton propre deuil, qui le respectera ?...

Jacqueline. — Tais-toi.

Jacques-Grand-Père, *très vite, furieux*. — Je me tairai si je veux, si je ne veux pas je ne me tairai pas, qu'est-ce que ça veut dire ça, et le culte des morts ?

ROBERT-PÈRE, *au grand-père.* — Votre gueule, Monsieur.
JACQUES-PÈRE, *menaçant.* — La gueule !

L'expérience enseigne en effet que certains morts, surtout
ceux qu'on honore de la manière la plus bruyante, ne tardent
pas à devenir gênants. Mais Jacques, au mépris des règles de
la vie en société, redouble ses sanglots, bien qu'on l'avertisse
qu'il indispose tout le monde ; il ne se calme qu'après avoir
reçu une puissante gifle. Désormais, il se trouve en état d'accomplir son devoir, et ses malheurs commencent. On entraîne
Roberte dans la coulisse. Maintenant que leur amour est, pour
ainsi dire, utilitaire, maintenant qu'ils accomplissent une fonction sociale, l'homme et la femme sont séparés, et, n'en dou-
tons pas, pour toujours. Jacques, sur la scène, éprouve les
douleurs de l'enfantement, — de « *l'enfantillage* », comme dit
Jacqueline. L'émotion des familles est intense, et les mères
tombent dans les bras l'une de l'autre. On apporte une première corbeille d'œufs pondus par Roberte. Tous « *applau-
dissent, s'embrassent, se congratulent* » ; en revanche, Jacques,
épuisé, ne dissimule guère son dégoût : « — *Ah, je voudrais
m'en aller !* » Le contraste entre l'enthousiasme des uns et la
dépression de l'autre s'accentue, au fur et à mesure que les
œufs envahissent le plateau. Les familles s'exaltent en son-
geant à ce qu'on fera de cette abondante progéniture, mais
Jacques dit, d'une voix faible : « — *Des pessimistes.* » En dépit
de l'indignation générale, il ajoute : « — *Des anarchistes. Des
nihilistes.* » La poésie et l'amour sont morts ; désespérément
le jeune homme réclame « *une fontaine de lumière, de l'eau
incandescente, un feu de glace, des neiges de feu* », sa famille le
renvoie aux « *feux d'arpipices* » et au « *château de Merdailles* ».
On entend les cris aigus de Roberte : « *Cot — cot — codac ! !* »
Les corbeilles continuent d'affluer. La vulgarité, la bêtise et le
conformisme triomphent, la bête humaine ricane. De ces œufs,
on fera surtout des omelettes, beaucoup d'omelettes, prédit
Jacques-grand-mère. Sachons gré à M. Ionesco de nous avoir
épargné le spectacle de la casse.

bois ton thé, Sémiramis

Sujet des *Chaises* : le vide ontologique. Thème banal s'il en fût, et que le roi Salomon, dont M. Ionesco se proclame le disciple, semble avoir épuisé. Mais ce fut un coup d'audace que d'écrire une pièce sur l'absence. Un coup de maître aussi. Mais M. Ionesco est un thaumaturge, puisqu'il a reçu le don de rendre visible l'invisible ; il est aussi et avant tout un dramaturge qui calcule ses effets, ou plutôt un stratège qui choisit le terrain avec un art consommé, et ne découvre son jeu que lorsqu'il possède la certitude de la victoire.

Ses protagonistes, il a pris soin de les présenter comme des vieillards parvenus à une extrême décrépitude. Leur vie est derrière eux, une vie manquée et dépourvue de sens. Chaque jour, on rencontre des gens dont on se demande ce qu'ils sont venus faire sur la terre. Saint-Exupéry parle de ces petits bourgeois, de ces petits boutiquiers, de ces êtres apparemment éteints mais en qui des circonstances imprévues allument parfois une flamme intérieure. Le Vieux et la Vieille, âgés respectivement de 95 et 94 ans, ont désormais peu de chance de vivre de grandes heures ; pour eux tout est compté, pesé, divisé. Non, leur vie ne pèse pas lourd, le compte et la division ont été vite achevés. Il leur reste le temps de ruminer leurs échecs, dont les causes et les conséquences apparaissent bien futiles ; le Vieux n'a pas pardonné à son frère de lui avoir dit : « *Mes amis, j'ai une puce. Je vous rends visite dans l'espoir de laisser*

la puce chez vous. » Leurs joies sont aussi dépourvues de signification que leurs peines. Ils se plaisent à de petits jeux dont
les règles et l'intérêt nous échappent. Ainsi ils s'amusent à
« *faire semblant* » : Sémiramis demande à son mari d'imiter le
mois de février, et elle rit aux éclats lorsque le Vieux « *se gratte
la tête, comme Stan Laurel* ». Leur langage également n'a qu'un
rapport lointain avec ce qu'il est convenu d'appeler la réalité.
« *Bois ton thé, Sémiramis* », répète le Vieux ; il n'y a pas de
thé, évidemment. D'après le contexte, la phrase semble signifier : « Occupe-toi d'autre chose », « laisse-moi tranquille »,
« tais-toi ». Et pourtant nous ne sommes pas en présence de
fantoches, d'automates dont le mécanisme est détraqué. Ce
couple reste humain par les sentiments qu'il éprouve ; en particulier, il est sensible à la fuite du temps et à l'approche enté-
nébrée de la mort. — *Il est six heures de l'après-midi* — constate le Vieux —, *il fait déjà nuit. Tu te rappelles, jadis, ce n'était
pas ainsi ; il faisait encore jour à neuf heures du soir, à dix heures,
à minuit.* [...] *Ça a bien changé.* [...] *Peut-être, parce que plus
on va, plus on s'enfonce. C'est à cause de la terre qui tourne,
tourne, tourne, tourne...* » L'homme en mourant croit que l'univers meurt avec lui, et dans une certaine mesure il n'a pas
tort. Ionesco a été frappé d'entendre dire à la vieille fermière
chez laquelle il habitait étant enfant : « — *Les jours, maintenant,
sont plus courts qu'avant : tu te rappelles, quand tu étais petit ?
L'été, il faisait jour jusqu'à dix heures ! Je ne sais pas ce qu'ils
ont fait. Ils ont changé l'heure. Ou p'têt'e ben que plus on va,
plus on s'enfonce !* [...] *C'est à cause de la terre qui tourne.* » [1].
Cet état de conscience, le dramaturge l'a objectivé ; lorsque le
rideau se lève, le plateau est plongé dans une demi-obscurité ;
après quelques instants, la Vieille allume une lampe à gaz, d'un
modèle archaïque.

---

1. « Printemps 1939 », dans *La Photo du colonel*, p. 177. Dans un roman de
Bernanos, *L'Imposture*, un vieux prêtre atteint d'une maladie mortelle fait
une remarque analogue : « — *Il faudra que vous allumiez la lampe, reprit-il
doucement. Le soir vient tôt... Jadis... Oh ! madame de la Follette, sur les étangs
de mon pays... sur les étangs, c'est curieux — le jour n'en finit pas de mourir — c'est très curieux...* » (Éd. de la Pléiade, pp. 502-503).

Dans une pénombre verdâtre, ce sont des êtres plus qu'à demi-morts qui s'agitent. La situation présente donc quelque analogie avec *Huis clos* ; mais les personnages ne sont pas enfermés dans un salon Second Empire, dont un bronze de Barbedienne orne la cheminée. Les premières répliques permettent de situer le lieu de leur internement, Ionesco ayant l'habileté de suggérer doublement le cadre, à la fois par le décor et par le dialogue :

LA VIEILLE. — Allons, mon chou, ferme la fenêtre, ça sent mauvais l'eau qui croupit et puis il entre des moustiques.
LE VIEUX. — Laisse-moi tranquille ! [...] J'aime tellement voir l'eau.
LA VIEILLE. — Comment peux-tu, mon chou ?... Ça me donne le vertige. Ah ! cette maison, cette île, je ne peux m'y habituer. Tout entourée d'eau... de l'eau sous les fenêtres, jusqu'à l'horizon...

Martin Esslin signale incidemment que cette île ressemble « *à celle de Beckett dans* Fin de Partie » [1]. De son côté, J. Guicharnaud considère la pièce de l'écrivain irlandais comme une image du monde après la bombe H, et relève dans *Les Chaises* une allusion à la destruction atomique :

LA VIEILLE. — Ça n'a jamais existé, Paris, mon petit.
LE VIEUX. — Cette ville a existé puisqu'elle s'est effondrée... C'était la ville de lumière, puisqu'elle s'est éteinte, éteinte, depuis quatre mille ans...

Le critique précise que même si cette vision est un effet du délire, elle révèle cependant la psychose de l'an 1000, une obsession de catastrophe universelle [2]. On pourrait pousser plus loin encore la comparaison entre les deux pièces. L'eau qui entoure les Vieux est croupissante ; or Clov signale à Hamm qu' « *il n'y a plus de marée* », il n'y a du reste plus de nature, tout est « *mortibus* », le jour ne se lève ni ne se couche. Nagg et Nell dans leurs poubelles essaient de se distraire en se disant

1. *Op. cit.*, p. 144.
2. *Modern French Theatre from Giraudoux to Beckett,* Yale University Press, 1961, p. 185.

des anecdotes ou en évoquant leur passé ; et ils ont le courage ou l'inconscience de rire, bien que les anecdotes soient pessimistes et leur passé tragique. Le comportement des personnages de Ionesco est identique. Depuis 75 ans, ils rabâchent la même histoire : « *Alors, on arriva près d'une grande grille. On était tout mouillés, glacés jusqu'aux os, depuis des heures, des jours, des nuits, des semaines... [...] Dans la pluie... On claquait des oreilles, des pieds, des genoux, des nez, des dents... il y a de ça quatre-vingts ans... Ils ne nous ont pas permis d'entrer... ils auraient pu au moins ouvrir la porte du jardin...* » Ne serait-ce pas le jardin d'Éden ? Au détour d'une allée, ils auraient peut-être aperçu la grange de Godot où Vladimir et Estragon espéraient dormir au chaud et le ventre plein.

S'il y avait influence d'un auteur sur l'autre, le mérite de l'antériorité reviendrait à Ionesco, *Les Chaises* ayant été représentées cinq ans avant *Fin de Partie*. En réalité, il s'agit d'une convergence de thèmes : désarroi métaphysique et peur atomique, thèmes hélas rebattus depuis Hiroshima. Il est vrai qu'une œuvre de Strindberg présente aussi une vague ressemblance avec *Les Chaises*. Dans *La Danse de mort*, on voit un couple vieilli et déchu, enfermé dans une tour au bord de la mer, dont la garde a été confiée à un militaire subalterne, le capitaine Edgar ; de même le Vieux se flatte d'être maréchal des logis et concierge. Les deux hommes sont des ratés vaniteux, brouillés avec leurs supérieurs, leurs amis, leur famille, à bout de souffle. En dépit de ces points communs, on ne peut guère annoncer triomphalement et scolairement la découverte d'une source. Car les différences sont plus évidentes encore. Strindberg a écrit une œuvre réaliste, parfois même un peu pesante comme son décor, bric-à-brac de la belle époque où voisinent des fleurs, une cage d'oiseaux, un piano droit, deux fauteuils, un bureau avec un appareil télégraphique, une étagère avec des photographies, une chaise longue, un buffet, une suspension, deux couronnes de laurier enrubannées, un chiffonnier, un baromètre à mercure, un porte-manteau où pendent des pièces d'uniforme, des sabres, etc. Au contraire, Ionesco indique que la salle où les Vieux achèvent de vivre est « *très dépouillée* » ; pas d'objets utilitaires mais dix portes qui ne servent à rien, ne s'ouvrant que sur le néant, et dont le nombre insolite fait encore ressortir l'inutilité. En outre, Strindberg montre Edgar et Alice s'entre-déchirant, cherchant à se détruire avec passion, et y parvenant par des moyens raffinés.

Au contraire, *Les Chaises* offrent une version revue et corrigée du mythe de Philémon et Baucis. « *Mon chou* », « *ma crotte* », ce ne sont qu'échanges de tendres vocables. La Vieille, indulgente et maternelle, prend le Vieux sur ses genoux. Sans se lasser, elle lui manifeste son admiration : « *Tu es très doué, mon chou. Tu aurais pu être Président chef, Roi chef, ou même, Docteur chef, Maréchal chef, si tu avais voulu, si tu avais eu un peu d'ambition dans la vie...* ». Le conditionnel passé, temps impitoyable, interdit l'espoir et traduit l'insatisfaction profonde. Les éloges de la Vieille sonnent comme des reproches, et ne tardent guère à devenir cruels : « — ... *Tu aurais pu être un Roi chef, un Journaliste chef, un Comédien chef, un Maréchal chef... Dans le trou, tout ceci hélas... dans le grand trou tout noir... Dans le trou noir, je te dis.* » La Vieille laisse clairement entendre que son mari l'a déçue et que cet échec est irréparable. Lorsqu'elle ajoute : « — *Peut-être as-tu brisé ta vocation ?* », le Vieux éclate en sanglots, et réclame sa maman. La Vieille pour le consoler le berce comme un enfant au maillot. La pièce pourrait se terminer là. Les personnages avaient retrouvé un visage humain en prenant conscience du tragique de leur destinée, mais de nouveau ils sombrent dans le sommeil du gâtisme, et se désintègrent sous les yeux des spectateurs. Or une idée-force, une idée-fixe, va leur rendre une cohérence et leur insuffler une énergie dont on ne les croyait plus capables. L'éternelle Éva pousse par le bras l'homme... il se lève armé. C'est en effet un appel aux armes que lance la Vieille : « ... *il faut vivre, il faut lutter pour ton message...* » Et le Vieux aussitôt se lève : « — *J'ai un message, tu dis vrai, je lutte, une mission, j'ai quelque chose dans le ventre, un message à communiquer à l'humanité, à l'humanité...* » Mais après ce bref sursaut, le doute et la lassitude reviennent : « — *Ah ! j'ai tant de mal à m'exprimer...* » La Vieille renouvelle ses exhortations : « — *C'est un devoir sacré.* » Elle dissipe les incertitudes : « — *La facilité vient en commençant, comme la vie et la mort... il suffit d'être bien décidé. C'est en parlant qu'on trouve les idées, les mots...* » Elle s'assure que son compagnon n'a oublié de convoquer personne : « *Tu es tellement négligent, comme tous les grands génies.* » Elle a retrouvé enfin une raison de vivre, c'est-à-dire d'espérer, de croire et d'admirer : « — *Je suis si fière de toi...* » Des projets, il convient à présent de passer aux actes. Or quelques instants avant l'arrivée des invités, la Vieille semble envahie par une crainte vague : « ... *On ne pourrait pas ajourner la réunion. Ça ne va pas trop nous fatiguer ? [...] Tu es un peu enrhumé.* » Ces motifs invoqués ne sont évidemment que des prétextes. Sémiramis a peur d'être déçue par son grand homme ; voulant conserver intactes les illusions qui l'aident à supporter l'existence, elle redoute la confrontation avec la réalité. Mais les jeux sont faits ; on entend le glissement d'une barque sur l'eau, déjà la sonnette retentit.

Ainsi s'achève l'exposition, au sens traditionnel du mot. Le spectateur s'est familiarisé avec le cadre du drame et les protagonistes. L'action, en ce début, est exclusivement intérieure. Le vide psychologique des personnages est mis en valeur par un « plein » psychologique également, si l'on peut s'exprimer ainsi, c'est-à-dire par un sentiment intense qui mobilise soudain le peu de force que les ans ne leur ont pas ravi. Mais ce plein lui-même est un vide, puisqu'il est chimérique de vouloir *in extremis* et rétrospectivement donner une justification à une vie qui a été et demeure un non-sens.

A partir du premier coup de sonnette et jusqu'à l'arrivée triomphale de l'Empereur, le vide va être rendu par un contraste moins intérieur qu'extérieur, en d'autres termes par la présence de plus en plus encombrante de chaises qui fera ressortir l'absence d'êtres vivants et pensants. Le mouvement, lent d'abord, s'accélérera jusqu'à ce que les rouages de la mécanique se bloquent. Les personnages invisibles seront admis sur la scène suivant un ordre rigoureux, dramaturgique et non protocolaire.

D'abord une dame se présente. A travers les répliques des Vieux, les spectateurs la voient très clairement et même devinent ses paroles :

Attention, n'abîmez pas votre chapeau. Vous pouvez retirer l'épingle, ce sera plus commode. Oh ! non, on ne s'assoira pas dessus... Mettez votre fourrure là. Je vais vous aider. Non, elle ne s'abîmera pas... Oh ! quel joli tailleur... un corsage tricolore... Vous prendrez bien quelques biscuits... Vous n'êtes pas grosse... non... potelée... Déposez le parapluie.

La pantomime des Vieux montre que la dame avance, puis s'assied entre eux deux. La conversation roule sur des banalités : la cherté de la vie, la monotonie de l'existence. Cette dame est donc un personnage falot, que Ionesco a choisi tel à dessein pour permettre au procédé dramaturgique de se roder.

Des coups de sonnette autoritaires, des claquements de talon, le Vieux qui se fige au garde-à-vous, la main de la Vieille se soulevant comme vers des lèvres : le Colonel, héroïque et galant, vient apporter beaucoup d'animation à cette soirée qui menaçait de languir. Ce militaire, en dépit des premières apparences, manque d'éducation et a tôt fait d'indisposer ses hôtes. Comme il ignore l'usage des cendriers, Sémiramis le rappelle à l'ordre : « — *Colonel, pas par terre les mégots !* » Le soldat poursuit avec la dame en visite un flirt sans peur mais non sans reproche, provoquant l'indignation de la maîtresse de céans : « — *Oh ! Oh ! C'est trop fort.* [...] *Mais ma petite, ne vous laissez pas faire !* [...] *Il exagère ! C'est inconvenant !* » Le ton monte rapidement. Le Vieux se permet à son tour d'adresser une remontrance à son supérieur hiérarchique : « *Attention, Colonel, le mari de cette dame peut arriver d'un instant à l'autre.* » Puis comme l'officier élève un doute sur les exploits guerriers dont se targue son hôte, celui-ci piqué au vif s'écrie avec violence : « — *Un héros doit aussi être poli, s'il veut être un héros complet !* » En somme, la présence supposée d'un militaire sous leur toit réveille chez Sémiramis et son mari les deux instincts fondamentaux, depuis longtemps ensevelis sous la glace des ans : l'érotisme et l'agressivité, solidaires et confondus.

Le couple qui survient alors permet aux Vieux de passer du rôle irritant de « voyeurs » à un rôle plus actif. Dans la femme, le Vieux reconnaît son ancienne fiancée, sa maîtresse peut-être. Mais il éprouve sur-le-champ un choc pénible : le nez de la dame, jadis surnommée la belle, s'est allongé ; et « *comme il a gonflé... terriblement allongé... ah ! quel dommage !* » Les cheveux sont devenus blancs, la taille s'est courbée en deux. Déçu, le Vieux cherche une compensation dans la poésie : « — *Où sont les neiges d'antan ?* » soupire-t-il. A l'amour charnel, il tente de substituer l'amour idéal : « — *Voulez-vous être mon Yseult et moi votre Tristan ? la beauté est dans les cœurs...* » Ces belles paroles dissimulent à peine d'amers regrets : « — *Pour- quoi n'avons-nous pas osé ? Nous n'avons pas assez voulu... Nous avons tout perdu, perdu, perdu.* » En revanche, moins cérébrale, Sémiramis éprouve pour l'époux de l'ex-belle un désir phy- sique violent, dont les manifestations risquent de mettre mal à l'aise une bonne partie des spectateurs ; elle soulève « *ses nombreuses jupes* », fait voir « *un jupon plein de trous* », découvre « *sa vieille poitrine* » ; puis, les mains sur les hanches, la tête renversée, « *jambes écartées* », elle pousse des cris érotiques. Cette exaltation tombe aussi brusquement qu'elle est apparue ; la Vieille, sous prétexte qu'elle entend les reproches de sa conscience, paraphrase un poème célèbre pour repousser le galant : « ... *Je ne veux pas cueillir les roses de la vie...* » Ce ne fut qu'une excitation passagère et sans but, l'instinct tiré un instant de sa torpeur fonctionnant à vide.

La belle et son mari deviennent donc inutiles, et même gênants. Faute d'avoir la ressource de les mettre à la porte, les Vieux les font disparaître ou plutôt les noient dans l'im- mense foule anonyme qu'ils se hâtent d'introduire chez eux : des géants dont on ne peut serrer la main qu'en se haussant sur la pointe des pieds, de tout petits enfants qu'on traîne péniblement, des journalistes, des reporters chargés d'appareils cinématographiques, un monde bigarré qui entre en désordre. Les coups de sonnette se succèdent sur un rythme rapide, tandis que la Vieille, affolée, se hâte d'aller chercher des chaises. La pantomime l'emporte sur le dialogue : « *il faut beaucoup de gestes* — précise Ionesco — *de lumières, du son, d'objets qui bougent, de portes qui s'ouvrent et qui se ferment et s'ouvrent à nouveau, pour créer ce vide, pour qu'il grandisse et ronge tout...* » (*Notes*, 167). L'assistance invisible manifeste son impatience, se bouscule, au point que les Vieux, qui ont peine à s'apercevoir dans ce tumulte, se sentent envahis par un sombre effroi.

L'émotion atteint son paroxysme, lorsqu'au milieu des fanfares, l'Empereur fait son entrée. Quoique seule une lumière intense, mais « *froide, vide* » signale sa présence, les Vieux n'en éprouvent pas moins un vif enthousiasme. La rhétorique reprend ses droits. Le Vieux, à qui la Vieille sert d'écho fidèle, exprime sa fierté et sa reconnaissance ; puis il en vient à exposer ses malheurs, qu'il est difficile de prendre au sérieux. Il s'affirme victime d'une conspiration universelle :

> J'ai voulu faire du sport... de l'alpinisme... on m'a tiré par les pieds pour me faire glisser... j'ai voulu monter des escaliers, on m'a pourri les marches... je me suis effondré... J'ai voulu voyager, on m'a refusé le passeport... J'ai voulu traverser la rivière, on m'a coupé les ponts... [...] J'ai eu la gale. Mon patron m'a mis à la porte parce que je ne faisais pas la révérence à son bébé, à son cheval...

Cette énumération d'infortunes imaginaires contribue naturellement à créer le vide.

Bien qu'il parle avec volubilité, le Vieux estime préférable de laisser à l'Orateur le soin de délivrer son message. Après s'être fait longtemps attendre, l'Orateur entre enfin en scène. A l'opposé des autres invités, il apparaît en chair et en os, bien visible, avec son « *feutre noir à larges bords, sa lavallière, sa vareuse, sa barbiche, son air assez cabotin et suffisant* ». L'effet de contraste est réussi, encore qu'il soit involontaire. Ionesco n'aurait pas demandé mieux que ce personnage fût invisible comme les autres : « *Seulement, on ne peut se passer de sa présence visible. Il faut qu'on le voie et qu'on l'entende puisqu'il est le dernier à rester sur le plateau. Mais sa visibilité n'est qu'une simple convention arbitraire, née d'une difficulté technique insurmontable autrement* » (*Notes*, 168). En fait, au début, si on le voit, on ne l'entend guère. Le Vieux, décidément intarissable, n'en finit pas d'adresser des remerciements à l'Empereur, à Sémiramis, aux propriétaires de l'immeuble, à l'architecte, aux maçons, aux ébénistes, techniciens, machinistes, « *électrocutiens* », etc., avant d'indiquer à l'Orateur les grandes lignes de son message :

> Fais donc connaître à l'Univers ma philosophie. Ne néglige pas non plus les détails, tantôt cocasses, tantôt douloureux ou attendrissants de ma vie privée, mes goûts, mon amusante gourmandise... raconte tout... parle de ma compagne... de la façon dont elle prépare ses merveilleux petits pâtés turcs, de ses rillettes de lapin à la normandillette... parle du Berry, mon pays natal...

L'abondance des mots fait ressortir le vide du « message ».

Ayant accompli leur mission, la conscience en repos, sûrs que les siècles conserveront leur mémoire, le Vieux et la Vieille se jettent en même temps par la fenêtre. Si ce double suicide frappe le public de stupeur, c'est uniquement parce qu'il est soudain. Les Vieux n'excitaient pas assez de sympathie pour qu'on pût les plaindre, ou les regretter ; on éprouve plutôt un sentiment de soulagement de les voir disparaître, tant l'inanité de leurs discours filandreux devenait lassante. Toute l'attention des spectateurs se reporte sur l'Orateur, mis en vedette ; or, sourd et muet, il fait entendre « *des râles, des gémissements, des sons gutturaux* ». Il parvient à grand-peine à écrire au tableau noir un mot qui ressemble à ADIEU. Après que l'Orateur s'est retiré, « *on entend pour la première fois les bruits humains de la foule invisible* » qui peu à peu s'affaiblissent. Le silence, le grand silence de la fin des temps règne sur la scène chargée d'objets inutiles.

Ainsi le vide est suggéré par une série de contrastes entre : l'encombrement du plateau et l'absence de personnages ; le flux des mots et la pénurie des idées ; la manifestation d'instincts, sinon de sentiments, et l'impossibilité absolue de les satisfaire. On remarque la parfaite convergence de procédés divers, les uns se traduisant par la mise en scène, les autres apparaissant dans le dialogue. Pour que la pièce réussisse, il est indispensable que les acteurs renouvellent le tour de force accompli par l'auteur et fassent du vide ontologique une réalité tangible. Jamais un dramaturge et ses interprètes n'auront été plus étroitement solidaires afin d'élever une « farce tragique » au rang de chef-d'œuvre.

mastique ! avale !

Ⅼ arrive un moment où l'ingénieur brise sa règle à calcul, le poète écrit un alexandrin de treize pieds, l'orateur tord le cou à l'éloquence. Las sans doute de se soumettre aux lois austères et incertaines de la logique théâtrale, Ionesco a composé une pièce pour lui-même, en se moquant de ce que acteurs et public pourraient en penser. *Victimes du devoir* ne présente pas la construction harmonieuse et savante des *Chaises*. C'est un vaste palais, plein d'escaliers qui débouchent sur le vide, de couloirs n'aboutissant nulle part, de trappes, de chausse-trapes, et de miroirs déformants. Le visiteur se heurte à des murs invisibles, se casse le nez contre des portes transparentes, s'ennuie, s'émeut et s'indigne, tandis que dans l'obscurité retentissent les éclats de rire du propriétaire. L'architecte-expert a beau prendre des mesures et lever des plans, jamais il ne sortirait de ce labyrinthe si l'inventeur secourable ne s'était sur le tard décidé à lui tendre le fil d'Ariane. Une nouvelle publiée sous un titre légèrement différent (« Une victime du devoir »[1]) apporte non pas toute la lumière nécessaire, du moins de la lumière ; faute de flambeau, une chandelle éclaire ces ténèbres.

Dans un récit laconique écrit à la première personne, le narrateur raconte une étrange agression qu'il a subie sans réagir. Le personnage central est sans conteste l'agresseur, le Policier,

---

1. Cette nouvelle fait partie du recueil : *La Photo du Colonel*. Quoique publiée *après*, la nouvelle a été écrite *avant* la pièce.

dont les brusques changements de comportement excitent la curiosité, et marquent les différentes phases de l'intrigue. Timide au début, faisant preuve d'une exquise politesse, il frappe par hasard à la porte du narrateur. Il désirait demander un simple renseignement à la concierge, mais la concierge est sortie. Il prendrait congé en s'excusant de son indiscrétion, si Madeleine, la femme de *Je*, apparemment séduite par sa parfaite présentation, son complet marron, ses beaux souliers et sa montre en or, ne l'invitait à entrer. Le Policier hésite, car il se prétend pressé ; comme Madeleine insiste, il pénètre dans l'appartement. Il n'en sortira jamais. Pourtant le drame commence d'une manière anodine ; le visiteur de hasard veut simplement savoir si les locataires précédents s'appelaient Malloud, avec un *d* à la fin, ou Malloux, avec un *x*. *Je*, sans songer aux conséquences, répond : « — *Malloud avec un* d. » Sur un ton glacial, son interlocuteur déclare : « — *C'est bien ce que je pensais* », et aussitôt il devient, lui naguère si courtois, insolent et grossier. Il s'installe dans le salon, fume, réclame du café, tutoie ses hôtes. Il mène rondement son enquête, persuadé que *Je* a connu Malloud ; or *Je*, avec l'énergie du désespoir, affirme le contraire. Soit ! mais comment expliquer qu'il connaisse l'orthographe de ce nom, pourtant peu banal ? Le suspect se trouble, et malgré de douloureux efforts de mémoire, semble incapable de fournir une justification. L'interrogatoire ne donne donc aucun résultat ; le Policier recourant à la manière forte brandit une énorme croûte de pain : « — *Mange* — dit-il — *ça va te rendre la mémoire*. » Des critiques, trop intelligents, après avoir pris cette ironie au pied de la lettre, ont écrit de savants commentaires sur les rapports de la mémoire et de la matière, alors que, de toute évidence, il s'agit d'un supplice inédit [1]. « — *Mastique ! Avale !* » hurle le tortionnaire. Les dents de la victime se cassent, ses gencives saignent. Depuis un moment,

---

1. Ionesco a révélé à Rosette C. Lamont que sa fille, lorsqu'elle était très jeune, refusait la nourriture ; on la faisait manger de force. Le pénible souvenir de ces scènes familiales serait une des « sources » de la pièce (cf. *The French Review*, January 1965, pp. 349 et suiv.).

un témoin assiste à la scène, un nommé Nicolas, qui s'est introduit dans la pièce, on ne sait ni pourquoi ni comment. Le Policier a été d'abord gêné par cette présence ; mais l'autre demeurant impassible, il recommence avec une nouvelle ardeur. La
« question » devient de plus en plus atroce, au point que brusquement Nicolas se décide à intervenir. Il s'approche, menaçant, du Policier qui, d'un seul coup, perd contenance, et bredouille des excuses : « — *Je fais mon devoir. Je ne suis pas là
pour l'embêter. Je dois tout de même savoir où se cache Malloud
avec un d à la fin. Quant à votre ami, je l'estime.* » Curieuse capitulation ! Au lieu de résister par la force, le bourreau essaye
d'attendrir le justicier : « — *J'ai vingt ans* », murmure-t-il au
milieu de son épouvante. Nicolas sort un énorme couteau, et
le regard féroce, la bouche tordue par la haine, il frappe au
cœur, trois fois, le Policier qui s'écroule ensanglanté, « victime
du devoir ».

Ce récit ne manque pas de produire une forte impression. Il
réveille des souvenirs récents. « *Il trempa son poing dans l'huile,
le fourra dans ma gorge, enfonça* » ; les fascistes n'avaient-ils
pas l'habitude de faire ingurgiter de l'huile de ricin à leurs
adversaires ? — *Attention, ne vomis pas, ça ne servirait à rien,
je te le ferais ravaler !* » Les détenus des camps de la mort
n'ont-ils pas été parfois contraints de manger leurs excréments ?
Chacun de nous a été menacé hier de subir, demain peut-être
subira ces abominables sévices.

Certes, Ionesco ne raconte pas une histoire vraie. Il transcrit
plutôt un cauchemar qui, comme les rêves, dérive de la réalité
vécue mais baigne dans l'irrationnel. Les personnages entrent
et sortent sans que leurs venues et leurs départs soient motivés.
Madeleine quitte le salon pour préparer le café : « *Madeleine
avait disparu à jamais.* » Nicolas surgit à l'improviste : « *Je
l'avais complètement oublié* », note le narrateur. Au fait, qui est
Nicolas ? Et qui était ce Malloud avec un *d* à la fin ? Qu'a-t-il
fait ? Pourquoi le recherche-t-on, avec tant d'opiniâtreté et si peu
de succès ? La nouvelle, comme les songes, n'a pas de conclusion.
Le cadavre du Policier reste dans l'appartement ; comment

s'en débarrasser ? Faudra-t-il attendre un autre rêve pour le savoir ? Le comportement des personnages n'est pas moins insolite. La passivité du narrateur est anormale. Nicolas, après avoir fait preuve d'une indifférence scandaleuse (refus d'assistance à personne en danger), est saisi d'une brusque et sanglante fureur. Le Policier, si brutal et tellement sûr de lui, devient sans transition faible et timoré.

On n'en finirait pas de s'interroger sur la signification de ce récit. Ionesco a-t-il voulu montrer que si la justice est lente à venir, elle est terrible quand elle vient ? Interprétation peu vraisemblable, trop de bourreaux demeurant impunis. Nicolas ne représente pas non plus la conscience du Policier, car les tortionnaires n'ont pas de conscience ou ils l'ont bonne. Symbolise-t-il la Mort ? Ceux qui la sèment tôt ou tard la récoltent, comme les autres hommes du reste, c'est la seule chose sûre. Nicolas serait donc l'apoplexie foudroyante ou plutôt la crise cardiaque (il frappe au cœur) qui atteint le policier dans l'exercice de ses fonctions.

La meilleure des hypothèses n'en reste pas moins l'absence d'hypothèse. Aucune explication rationnelle ne se révèle satisfaisante et la fable ne renferme point de moralité. Elle provoque des réactions émotionnelles, oblige à poser des questions qui, comme les grands problèmes philosophiques, n'auront jamais de réponse, et présente des personnages qui, comme les êtres vivants, apparaissent et disparaissent en emportant leur secret. C'est, à l'image de l'existence peut-être, un mauvais rêve dont on ne possède pas la clef. En revanche, la pièce va offrir un sens précis, que la nouvelle ne laisse guère deviner, car la pièce, en dépit de ses zones d'ombre, est à la fois plus développée et plus explicite. Sans doute, d'une certaine manière, elle trahit et défigure le texte initial ; cependant, elle en reproduit fidèlement l'intrigue.

Avec quelle virtuosité Ionesco passe d'un genre littéraire à l'autre ! Rien qui trahisse l'effort, et l'exercice s'effectue avec une si grande aisance que chacun s'imagine capable d'en faire autant. Le dialogue occupe d'ailleurs une place de choix dans le récit, ce qui facilite la transposition dramatique. Toutefois, en s'incorporant dans la pièce de théâtre, les répliques changent de tonalité. Ce sont les mêmes et ce ne sont plus les mêmes. Ainsi, on parle beaucoup dans la nouvelle, mais assez souvent avec les yeux, ou encore mentalement : « — *C'est vrai, remarqua le policier, sans prononcer de paroles, [Malloud] avait aussi le surnom de Montbéliard.* » Or, dans la pièce, le personnage ne peut se dispenser de dire à haute et intelligible voix : « — *C'est vrai, il a aussi le surnom de Montbéliard.* » La modification est sensible, soulignée par le changement de temps des verbes : *il avait..., il a...* Le personnage recherché serait-il considéré comme mort dans un cas, vivant dans l'autre ? Il est probable que l'imparfait a simplement été « attiré » par les temps passés employés d'un bout à l'autre de la nouvelle (« *remarqua* le policier »). Le dialogue, intérieur dans le récit, s'extériorise dans le drame, et prend volontiers une allure familière : « — *Plus vite, me dirent les yeux froids, infiniment hostiles du policier, je n'ai pas de temps à perdre, allons, plus vite !...* » La froideur, l'infinie hostilité de l'enquêteur disparaissent dans la transposition dramatique : « — *Plus vite, allons, plus vite, nous avons déjà perdu assez de temps comme cela !* » En outre, le Policier semble moins distant, grâce à la substitution de *nous* à *je* qui le met au niveau de l'accusé.

L'extériorisation du reste ne se pratique pas toujours sans dommage. Voici une petite phrase du récit où l'on trouve à la fois une fine observation psychologique et une pointe d'humour : « *Il a une montre en or, remarqua silencieusement Madeleine, dont je devinai la pensée.* » Dans la pièce au contraire, un procédé appuyé rompt le charme :

MADELEINE, *à part.* — Il a une montre en or !
CHOUBERT, *à part.* — Elle a déjà remarqué qu'il a une montre en or.

Le trait épais remplace la pointe délicate, la parodie succède à l'humour ; du moins Ionesco a-t-il eu le mérite de jouer franc jeu, et le bon esprit de tirer sur une des grosses ficelles du théâtre traditionnel en faisant un clin d'œil au public.

Comme les personnages de la pièce se trouvent dans l'obligation d'exprimer ce qu'ils sentent et ce qu'ils pensent, les nuances d'un texte à l'autre ne cessent de se modifier. « *Les dents me faisaient mal, se cassaient, mes gencives saignaient* » ; c'est ainsi que le narrateur anonyme décrivait son martyre. Devenu dans la pièce le nommé Choubert, il s'écrie : « — *Ma dent se casse, je saigne !* » Dans ce cas précis, l'extériorisation ne présente pas d'inconvénient. Choubert profère cette plainte, fait étalage de ses souffrances pour essayer d'attendrir son tortionnaire. Il arrive cependant que la transposition directe soit impossible. Le narrateur explique comment il a failli être étouffé par les croûtes de pain : « *Ça ne passait pas. Pourtant, je faisais des efforts désespérés. Ça restait dans ma bouche, dans ma gorge, ce bois, ce fer embouteillé. Des souffrances atroces. Suffoqué, je ne pouvais plus crier.* » Voici donc le dramaturge pris au piège, puisque son personnage est incapable de parler. Mais Ionesco se tire de cette difficulté avec une extrême élégance, en faisant émettre à Choubert en pleine mastication des phonèmes inintelligibles : « — *... ois... er.* » Irrité, le Policier demande : « — *Quoi ?* » Nicolas se charge de la traduction : « — *Il dit que c'est du bois, du fer. Ça ne pourra jamais passer...* » Le Policier n'admet pas cette interprétation : « — *Ce n'est que de la mauvaise volonté de sa part !* » Nicolas sans désemparer continue de plaider la cause de son ami : « — *Il fait des efforts, tout de même, le pauvre enfant ! Ce bois, ce fer, ça s'est embouteillé dans sa gorge !* »

En utilisant ce procédé à plusieurs reprises, Ionesco s'efforce de le varier, bien que parfois il ne puisse l'empêcher de devenir un peu voyant. *Je* évoque de la façon suivante le moment où Nicolas s'est avancé menaçant vers son adversaire : « *Jamais je n'aurais cru Nicolas capable d'une telle haine. Le policier ouvrit de grands yeux où vint s'embraser toute l'épouvante de la terre. Pauvre petit ! Sa figure, par contre, était pâle, ses traits défaits.* » Dans la pièce, Choubert s'écrie : « — *Nicolas, jamais je ne t'aurais cru capable d'une telle haine.* » Ce n'est pas sans raison qu'il manifeste sa surprise, car Nicolas jusqu'alors bel indifférent, contre toute attente, se transforme en justicier féroce. Au contraire, on s'étonne que dans le récit il plaigne le Policier après le supplice qu'il vient de subir. Dans la pièce, le dramaturge met dans la bouche de Madeleine ces paroles de pitié : « *Pauvre petit, tes grands yeux sont embrasés par toute l'épouvante de la terre... Comme ta figure est blanche... Tes gentils traits se sont défaits... Pauvre petit, pauvre petit !...* » Cette modification est heureuse dans un sens, maladroite dans l'autre. Madeleine, éprise du Policier, n'a cessé de s'en faire l'auxiliaire au cours des mauvais traitements qu'il a infligés à son mari, et il est naturel qu'elle compatisse quand la situation se renverse. Toutefois, Ionesco demeure trop prisonnier du texte primitif. Il était vraisemblable que *Je* aperçût le bouleversement de la physionomie du Policier, et en éprouvât une sorte de saisissement. On ne peut *a fortiori* reprocher à Madeleine de trahir des sentiments identiques ; mais elle aurait dû se contenter de murmurer : « *Pauvre petit !* » Son émotion est trop intense à ce moment-là pour lui permettre de *décrire* ce qu'elle voit surtout sous une forme tellement littéraire : « *... tes grands yeux sont embrasés par toute l'épouvante de la terre...* » Non, c'est trop bien dit.

D'une façon générale, la pièce souligne les effets, ce qui est judicieux, l'attention du spectateur étant plus difficile à fixer que celle du lecteur. Ainsi la politesse et la timidité apparente du Policier, lorsqu'il se présente au domicile de Choubert, sont plus marquées dans le drame que dans la nouvelle. Il va même jusqu'à proposer d'attendre le retour de la concierge sur le palier, et au moment de prendre congé, il s'exprime en homme du monde : « — *J'ai l'honneur de vous saluer. Agréez, Madame, mes hommages respectueux.* » On remarque du reste un « renforcement » des répliques à l'aide d'épithètes ajoutées, d'incises supplémentaires, de termes plus expressifs. Voici un exemple de cette transformation; quand Madeleine engage le Policier à entrer, celui-ci n'accepte pas sans quelques cérémonies :

[...] J'entre, à condition que vous me laissiez partir tout de suite !

— C'est entendu, monsieur, le tranquillisa Madeleine, venez tout de même vous réchauffer un instant !

Le Policier. — [...] Je rentre, si vous voulez, à la condition que vous me laissiez partir tout de suite...

Madeleine. — Soyez tranquille, cher Monsieur, nous n'allons pas vous retenir de force... Venez tout de même vous reposer un petit instant !

Dans la pièce, le verbe correct « *j'entre* » a été remplacé par l'expression renforcée « *je rentre* », fautive certes, mais appartenant au langage parlé et que Ionesco a eu raison d'introduire dans la dialogue théâtral. L'incise « *si vous voulez* » met en valeur la discrétion du Policier. La cordialité de Madeleine est rendue plus évidente par l'emploi de l'épithète *cher* accolée à *Monsieur*, avec un *M* majuscule, et la substitution de *vous reposer* à *vous réchauffer*. On peut se réchauffer à la hâte, debout devant un poêle ou un radiateur ; mais pour se reposer, il faudra au moins que le Policier s'installe dans un fauteuil, ce qui suppose un arrêt plus long chez ses hôtes.

Enfin, les procédés de mise en scène donnent un relief puissant à certains épisodes. Dans la nouvelle, le Policier tend au narrateur une photo en lui demandant s'il reconnaît Malloud : « *C'était l'image d'un homme âgé d'une cinquantaine d'années, la barbe pas rasée depuis plusieurs jours et portant, sur la poitrine, une plaque avec un numéro de cinq chiffres.* » Le portrait est tracé d'un seul trait de plume, rapide. Or dans le drame, le trait devient une ligne brisée, et le rythme se ralentit : « Choubert. — *C'est un homme d'une cinquantaine d'années... oui... je vois... Il ne s'était pas rasé depuis plusieurs jours... Il a, sur la poitrine, une plaque portant le numéro 58.614... Oui, c'est bien 58.614...* » Choubert examine donc le portrait à loisir, en interrogeant ses souvenirs et, de crainte de laisser échapper le plus petit indice, énonce avec précision le numéro dont il suffisait d'indiquer dans la nouvelle qu'il avait cinq chiffres.

Le narrateur rappelait un détail de l'enquête qui l'avait troublé, mais qui en définitive n'avait apporté aucun élément utile ; aussi s'exprimait-il avec concision. Au contraire, Choubert vit dans le présent, et il ne peut encore savoir si ce portrait va permettre ou non d'éclaircir le mystère ; il a raison de prendre son temps. D'autre part, le dramaturge a eu l'habileté de mettre sous les yeux du spectateur la photo que son personnage contemple, et au moment même où il la contemple, grâce à un jeu de mise en scène aussi simple qu'efficace :

> *Un réflecteur doit soudain faire surgir de l'ombre, à l'extrême-gauche de l'avant-scène, un grand portrait que l'on ne pouvait voir sans projecteur et qui représente, d'une façon assez approximative, un homme tel que le décrit Choubert, d'après la photo qu'il contemple, dans sa main ; les personnages ne prêtent naturellement, aucune attention — ils font comme s'ils ne savaient pas qu'il est là — au portrait illuminé qui, de nouveau, disparaîtra dans l'obscurité, dès qu'on en aura fait la description...*

L'apparition du grand portrait, brusquement éclairé par un projecteur, c'est la photo qui soudain se place dans le champ de vision de Choubert, et mobilise son attention et sa mémoire. Grâce à cette « objectivation », accompagnée d'un nécessaire effet de grossissement, le spectateur se trouve mis à la place du personnage ; il communie avec lui dans les mêmes pensées et la même angoisse.

Toutefois la pièce n'est pas une simple adaptation de la nouvelle ; elle en est aussi, et là réside son principal intérêt, le développement. Non pas un développement harmonieux, mais une prolifération anarchique, certains éléments subissant une croissance démesurée, alors que d'autres demeurent au stade embryonnaire. Ainsi on relève dans le récit une esquisse de psychanalyse qui prendra dans le drame des proportions énormes. « — *Je ne les ai pas connus* », affirme le narrateur lorsqu'on l'interroge sur les Malloud ; « — *Alors, comment savez-vous que leur nom prend un d à la fin ?* » rétorque le Policier. *Je* est bouleversé par cette question : « *Qui m'avait appris ce détail ? En somme, avais-je connu ou non les Malloud ? Je fis*

un douloureux effort de mémoire. Je ne pus me rappeler. » Voilà
un cas qui relève de la psychanalyse ; le narrateur a oublié,
parce que son inconscient, selon toute probabilité, a ordonné
l'oubli. L'enquêteur doit en conséquence ressusciter ce souvenir, et chercher pour quelles raisons il a été censuré. *Je*
prend d'instinct la position du « patient », se laissant choir
dans un fauteuil et fermant les yeux. Cet épisode, fugitif dans
la nouvelle, occupe une place importante dans la pièce.

L'exploration du subconscient est concrétisée sur le plateau ;
on voit Choubert descendre péniblement des marches imaginaires en s'appuyant sur une rampe qui n'existe pas, essayer
de s'orienter dans le labyrinthe de sa mémoire, trébucher et
patauger dans la boue des souvenirs. Cette nouvelle orienta-
tion de l'intrigue augmente l'importance du personnage de
Madeleine. Dans la nouvelle, son rôle essentiel consistait à
inviter le Policier à entrer ; ensuite, elle allait moudre du café
et on ne la revoyait plus. Dans le drame, elle se rend également à la cuisine, mais elle en revient assez vite pour assister
à l'interrogatoire, auquel elle prend du reste une part active.
En particulier, elle incarne différents personnages, d'après les
niveaux que Choubert atteint successivement au cours de sa
plongée dans les abîmes. En réalité, elle n'est pas tel ou tel
individu, ne *joue* pas de propos délibéré tel ou tel rôle, comme
si elle participait à un psychodrame ; il semble plutôt que Choubert projette sur elle les différentes femmes qu'il rencontre
dans ses souvenirs conscients et inconscients.

Madeleine représente d'abord la Maîtresse. Elle « *laisse tomber sa vieille robe et apparaît dans une robe décolletée* » ; sa voix
aussi change, devient « *tendre et mélodieuse* ». Prenant une attitude érotique, elle s'allonge sur le canapé, et appelle Choubert,
les bras tendus. La scène est soudain interrompue par le Policier qui ordonne au patient de « *descendre encore* ». Or celui-ci
retrouve l'image de Madeleine parmi ses phantasmes, non plus
l'Amante voluptueuse mais l'Épouse fatiguée. « *Elle s'est voûtée
brusquement, de dos elle a l'air très vieille, ses épaules sont secouées
par des sanglots muets.* » Choubert se lamente de la voir si flé-

trie et si malheureuse, et en termes poétiques, évoque leur jeunesse perdue. Un nouveau rappel à l'ordre du Policier fait cesser ces effusions lyriques : « *Ce n'est pas ça, ce n'est pas ça. Tu perds ton temps, tu oublies Mallot, tu t'arrêtes, tu t'attardes, paresseux... et tu n'es pas dans la bonne direction.* [...] *C'est dans la profondeur que tu peux trouver Mallot.* » (Remarquons au passage la significative, quoique légère, modification du nom ; Malloud risquait au théâtre de sonner comme marlou, alors que Mallot, plus facile à prononcer, supprime tout danger d'équivoque.) Choubert poursuit consciencieusement sa descente, et finit par arriver au point critique :

MADELEINE. — On ne l'entend plus.
LE POLICIER. — Il a dépassé le mur du son [...].
MADELEINE. — On ne le voit plus.
LE POLICIER. — Il a dépassé le mur optique.

C'est alors que pour la troisième fois Choubert rencontre Madeleine ; elle apparaît comme la Mère, tandis que le Policier joue le rôle du Père, c'est-à-dire que sur lui le patient projette la personnalité de son propre père.

Madeleine est donc devenue un personnage principal, collaboratrice fidèle du Policier psychanalyste. Elle semble du reste prédestinée à exercer cette fonction. Dès le lever du rideau, elle manifeste son attachement à l'autorité, ce qu'elle ne faisait nullement dans la nouvelle : « *... La loi est nécessaire, étant nécessaire et indispensable, elle est bonne, et tout ce qui est bon est agréable. Il est, en effet, très agréable d'obéir aux lois, d'être un bon citoyen, de faire son devoir, de posséder une conscience pure !...* » Aux idées d'innovation de son mari, elle oppose son conformisme : « *— Je te répète que rien n'est nouveau sous le soleil. Même quand il n'y a pas de soleil.* » En toutes circonstances et dans tous les domaines, elle se montre favorable au *statu quo* : « *Dans la société, chacun a sa mission sociale bien déterminée !* » Ce respect de l'ordre établi la conduit à prêter main-forte au Policier ; or ce personnage aussi est devenu un symbole polyvalent. Il pratique la psychanalyse, car il existe un certain rapport entre l'enquête criminelle et l'investigation de l'inconscient. Fonctionnaire chargé de maintenir et de défendre, contre vents et marées, les institutions, il est conservateur par vocation et par devoir ; en politique sans doute, mais cette question retient peu l'attention de Ionesco, surtout intéressé par l'art dramatique, à l'égard duquel le Policier soutient des opinions naturellement rétrogrades.

En effet, des considérations théoriques sur le théâtre, absentes de la nouvelle, sont exposées dans la pièce ; telle est, après la psychanalyse, la seconde innovation notable. Trois points de vue s'affrontent. Le Policier se déclare, comme on doit s'y attendre, partisan de la tradition : « *Je demeure, quant à moi, aristotéliquement logique, fidèle avec moi-même, fidèle à mon devoir, respectueux de mes chefs... Je ne crois pas à l'absurde, tout est cohérent, tout devient compréhensible... grâce à l'effort de la pensée humaine et de la science.* » Nicolas au contraire rêve d'un « *théâtre irrationnaliste* », où s'inspirant « *d'une autre logique et d'une autre psychologie* », le dramaturge apporterait « *de la contradiction dans la non-contradiction* », abandonnerait « *le principe de l'identité et de l'unité des caractères, au profit du mouvement, d'une psychologie dynamique...* » Bref, Nicolas se prononce pour Lupasco contre Aristote.

Choubert n'intervient pas dans la discussion, et pour cause : les croûtes de pain l'empêchent de parler. Cependant au début de la pièce, lorsqu'il passait une soirée paisible en tête à tête avec sa femme, il avait formulé des remarques critiques originales. Peut-on faire du nouveau théâtre, demandait-il ; et il observait que le théâtre semble incapable d'évoluer :

Toutes les pièces qui ont été écrites, depuis l'antiquité jusqu'à nos jours, n'ont jamais été que policières. Le théâtre n'a jamais été que réaliste et policier. Toute pièce est une enquête menée à bonne fin. Il y a une énigme, qui nous est révélée à la dernière scène. Quelquefois, avant. On cherche, on trouve. Autant tout révéler dès le début.

Madeleine élevait une objection timide : « — *Mais le classicisme ?* » Et son mari de répondre avec assurance : « — *C'est du théâtre policier distingué.* » Ce paradoxe aide à mieux comprendre le rôle du Policier et la signification de la pièce entière. Ce Policier, c'est en somme l'ancien théâtre fait homme. Au commencement, une énigme est posée : où est Mallot avec un *t* à la fin ? Or l'ancien théâtre échoue : on ne trouvera jamais Mallot, parce que ce problème est un faux problème. L'ancien théâtre aura beau essayer d'empêcher les novateurs, tels Choubert, de s'exprimer, il finira par succomber sous les coups du nouveau théâtre, représenté par Nicolas. Toutefois Choubert ne s'en tire pas à si bon compte, car il se produit un rebondissement imprévu. Regrettant l'assassinat aussitôt après l'avoir commis, Nicolas prend la relève du Policier défunt : « — *Je vous trouverai Mallot* », et il se met en devoir de faire avaler du pain à Choubert, non pas de gaîté de cœur, mais par obligation. Il s'agit, n'est-ce pas, d'une pièce de théâtre, et suivant des règles établies de temps immémorial et qui ne sont pas prêtes de tomber en désuétude, une énigme ayant été posée, il faut absolument trouver la solution. « *Mastiquez ! Avalez !* » répètent les personnages, prisonniers de la tradition, tandis que le rideau tombe. Ils s'estiment tous, avec raison, « *victimes du devoir* ». Cette œuvre est donc essentiellement une page de critique dramatique, et un manifeste littéraire au même titre que *L'Impromptu de l'Alma.*

Cette pièce sur le théâtre est-elle aussi une pièce de théâtre ? On hésite à se prononcer, car si les défauts crèvent les yeux, des qualités non moins évidentes les compensent. Certes, le dogmatisme est incompatible avec la dramaturgie ; mais Ionesco, conscient du danger, a pris soin d'exposer sa thèse avec concision, se limitant au minimum nécessaire à l'intelligence du drame. En revanche, il a eu tort de prolonger la « descente » de Choubert, qui finit par lasser l'attention. La scène de réconciliation entre Choubert et son père, en particulier, est interminable, encombrée de tirades prolixes. Pour l'alléger, l'auteur, il est vrai, a eu recours à des procédés de dérision ; on ne peut guère prendre au sérieux le récit des infortunes du père :

Mes ennemis devenaient de plus en plus puissants, de plus en plus riches. Mes protecteurs faisaient faillite, puis périssaient, emportés, les uns après les autres, par des maladies déshonorantes ou des accidents ridicules. Je n'essuyais que des déboires. Le bien que je faisais se changeait en mal, le mal que l'on me faisait ne se changeait pas en bien.

On serait en droit de reprocher à Ionesco de ne pas se renouveler, la même rhétorique ayant été utilisée dans *Les Chaises* : « — *J'ai porté malheur à mes amis* — disait le Vieux —, *à tous ceux qui m'ont aidé... La foudre frappait la main qui vers moi se tendait... On a toujours eu de bonnes raisons de me haïr, de mauvaises raisons de m'aimer... Tous mes ennemis ont été récompensés et mes amis m'ont trahi...* » On remarque en outre des jeux de scène déjà employés dans les œuvres antérieures. Ainsi Madeleine apporte de plus en plus de tasses à café, comme les Vieux apportaient de plus en plus de chaises, les Robert et les Jacques de plus en plus d'œufs. On ne saurait tenir rigueur à l'écrivain de s'imiter lui-même ; la multiplication des objets, on le sait, correspond à une de ses obsessions profondes. Néanmoins, il est regrettable de voir, pour ainsi dire, le procédé se dégrader. Les chaises et les œufs, envahissant tout le plateau, donnaient une consistance tragique au « vide ontologique » ; au contraire, les tasses, petits objets, juste suffisants pour couvrir une table ou remplir un buffet, ne frappent guère l'imagination. L'effet est en partie manqué.

Toutefois, on remarque une forme de dramaturgie efficace, que l'on ne trouve ni dans les pièces qui ont précédé ni dans celles qui ont suivi, et qui dérive de l'utilisation de la psychanalyse dans ce drame. Il s'agit de la soudaine « métamorphose » des personnages : Madeleine femme et mère, jeune et vieille, Choubert adulte et enfant, le Policier psychanalyste et père. Le lieu scénique se transforme également à vue, sans modification importante du décor ; ainsi Choubert disparaît quelques instants dans la pénombre, pour réapparaître, à un bout opposé du plateau, « *sur une estrade ou une petite scène* ». Il est devenu un acteur, présentant une sorte de « one man's show », auquel

un couple de gens du monde (le Policier et Madeleine, naturellement) sont venus assister. Ce procédé dramaturgique produit
en général une forte impression sur le public qui, consciemment
ou inconsciemment, y reconnaît le mécanisme de ses rêves. Les
psychanalystes ont à juste titre signalé le processus fréquent de
condensation des personnes et des lieux ; au cours d'un rêve,
on voit un individu se transformer en un autre, et on aperçoit la tour Eiffel bien qu'on se promène dans Regent Street [1].

On ne peut cependant pas accorder à Ionesco le mérite d'avoir
le premier porter au théâtre la poésie des songes. Strindberg
en particulier et Adamov lui ont montré la voie. Au troisième
tableau de *La Parodie*, par exemple, représentée plusieurs mois
avant *Victimes du devoir*, un même personnage est tour à tour
directeur de journal et gérant de dancing. De plus, Ionesco
développe quelques thèmes qui rappellent curieusement ceux
d'Adamov : la femme-bourreau et l'homme-bébé, entre autres.
Madeleine exhorte son mari à se soumettre aux ordres pénibles
du Policier :

« — *Baisse davantage ton front, mon amour.* »
« — *Chéri... Plonge ton oreille !* »
« — *Pauvre chéri, j'ai peur pour lui.* »

Les qualificatifs ont beau être affectueux, Madeleine se rend
complice d'un tortionnaire. Ce faisant, elle ressemble à un
personnage de *La Grande et la Petite Manœuvre* [2], Erna, femme
étrange, qui tient à la fois de l'infirmière et de l'espionne de
police. En tout cas, elle fait partie du clan des Persécuteurs.
Lorsqu'elle se montre tendre, c'est qu'elle veut faire agir le
Mutilé à sa guise ; la tendresse est pour elle un moyen de domi-
nation. Mais il lui arrive d'être brutale et cruelle ; au septième
tableau, elle arrache ses béquilles au Mutilé ; il tombe. Tandis
qu'il essaye de se relever, elle lui dit ironiquement : « *Allons,
un petit effort !* » A la fin de la pièce, voyant le Mutilé devenu

---

1. Cf. ALLENDY, *Les Rêves expliqués*, pp. 50-51.
2. Le « pseudo-drame » *Victimes du Devoir* a été créé en février 1953,
La Grande et la Petite Manœuvre en novembre 1950, *La Parodie* en juin 1952.

cul-de-jatte, elle rit aux éclats et pousse du pied la voiture de
l'infirme, qui disparaît dans la coulisse. Le comportement de
Choubert n'est pas sans analogie avec celui du Mutilé. Il accepte,
avec passivité, toutes les agressions et finit par se conduire
comme « *un enfant en bas âge* ». De même, au dénouement
d'une autre pièce d'Adamov, *Les Retrouvailles*, la Mère jette
dans une voiture d'enfant son fils Edgar qui, bien qu'il soit
adulte, a conservé une mentalité infantile. Néanmoins, la coïncidence paraît fortuite. Choubert, à force de remonter dans
son passé, en est arrivé au premier âge ; son infantilisme est
accidentel, alors que l'infantilisme des personnages d'Adamov
est essentiel, conséquence d'une impuissance congénitale, du
complexe de castration ou de l'aliénation sociale.

Adamov croit aux vertus de la psychanalyse ; Ionesco est
plus sceptique à l'égard de ses méthodes et de ses découvertes,
depuis longtemps tombées dans le domaine public. Ainsi le
petit Choubert assiste à une scène de ménage entre Madeleine-
Mère et le Policier-Père. La Mère tente de se suicider en ava-
lant une fiole de poison. Le Père, après avoir fait mine de l'en
empêcher, la force à boire. Le Fils, plein de haine à l'égard de
l'assassin, jure de venger la victime ; mais pris de remords, il
désire se réconcilier avec son père. Trop tard ! Le père a cessé
de vivre, et Choubert devient aveugle comme Œdipe.

Il se peut cependant que la parodie soit plus apparente que
réelle. Ionesco s'inspirerait-il d'un drame personnel ? En tout
cas, il déclare qu'il a voulu projeter sur scène, « *avec la plus
grande sincérité* », ses « *doutes* », ses « *angoisses profondes* », ses
« *antagonismes* » (*Notes*, 66). Mais l'humour perce lorsqu'il
ajoute : « *j'arrachai mes entrailles.* » Il n'en reste pas moins que
dans cette pièce on décèle quelques signes de ses tourments
intérieurs : obsession de la mort, sentiment de l'évanescence
du monde. Au cours de la séance d'analyse, Choubert révèle
une vision d'enfance qui n'a cessé de le hanter :

J'ai huit ans, c'est le soir. Ma mère me tient par la main, c'est
la rue Blomet après le bombardement. Nous longeons des ruines.
J'ai peur. La main de ma mère tremble dans ma main. Des sil-

houettes surgissent entre les pans des murs. Seuls leurs yeux éclairent dans l'ombre. [...] Leurs yeux s'éteignent. Tout rentre dans la nuit, sauf une lucarne lointaine.

Or, à travers son personnage, c'est Ionesco qui s'exprime ; la preuve en est fournie par cette confidence :

> J'habitais, étant gosse, près du square de Vaugirard. Je me souviens, — il y a si longtemps ! — de la rue mal éclairée, un soir d'automne ou d'hiver : ma mère me tenait par la main, j'avais peur, une de ces peurs d'enfant ; nous faisions les courses pour le repas du soir. Sur les trottoirs, des silhouettes sombres s'agitaient, des gens qui se pressaient ; ombres fantomatiques, hallucinantes. Quand cette image de la rue me revit dans la mémoire, quand je pense que presque tous ces gens sont morts aujourd'hui, tout me paraît ombre, évanescence, en effet. Je suis pris de vertige, d'angoisse. C'est bien cela, le monde : un désert ou des ombres moribondes. (*Notes*, 131)

La tirade de Choubert ne rend pas tout à fait la même résonance ; la rue a été bombardée, il ne reste que des pans de murs, l'image de la mort se présente partout aux regards de l'enfant. Le traumatisme a été provoqué par la guerre et son cortège de désolations. Au contraire, ce n'est pas un événement précis, exceptionnel, qui apporte au petit Ionesco la révélation de la vanité des êtres et des choses. Il accompagne sa mère faisant les courses du soir ; comme la rue est mal éclairée, les grandes personnes ressemblent à des ombres chinoises, qui ne paraissent que pour s'évanouir aussitôt. Cette vision se grave dans sa mémoire, parce qu'elle lui a laissé une impression d'étrangeté, mais il n'en découvrira le sens symbolique que parvenu à l'âge d'homme.

L'auteur concrétise ses antagonismes psychiques dans une autre scène, où il montre Choubert effectuant une ascension aussi imaginaire que l'était sa descente. Il s'agit d'un thème capital, repris avec une insistance significative dans des pièces postérieures, *Amédée* et *Le Piéton de l'air*. On note également des analogies avec une nouvelle, « La Vase », publiée pour la première fois en 1956, et incorporée ensuite à *La Photo du Colonel*. La pièce de théâtre, comme le récit, évoque une escalade en montagne, dont les péripéties se ressemblent : d'abord une montée assez facile, puis un sol plus aride, tandis que la chaleur devient implacable, enfin une paroi rocheuse abrupte contre laquelle se heurte l'alpiniste terrorisé. A plusieurs reprises, le rapprochement littéral s'impose au lecteur :

Victimes du Devoir	« La Vase »
Le soleil brille entre les arbres. Lumière bleue.	On voyait le ciel bleu à travers les feuilles et les branches.
— Que c'est abrupt ! Des ronces, des cailloux. [...] Je m'accroche à des pierres, je glisse, je m'agrippe aux épines, je grimpe à quatre pattes...	[...] Plus d'arbres..., des cailloux, des rocs, une terre sèche... Ensuite, pour grimper, il avait fallu m'accrocher à des touffes d'herbe brûlée, aux pierres, au sable, j'avais continué à grimper sur les genoux, à grimper, grimper.
Pas un coin d'ombre. Le soleil est énorme. La fournaise. J'étouffe. Je grille.	... La sécheresse avait augmenté. [...] La soif avait desséché ma gorge, mon palais, mes entrailles...
— Une autre montagne devant moi. C'est un mur sans fissure.	Il n'y avait plus eu devant moi qu'un roc, qu'un immense désert vertical.

Toutefois, alors que le narrateur de « La Vase » capitule devant la difficulté, Choubert poursuit son ascension au prix d'efforts héroïques, dont il sera d'ailleurs aussitôt récompensé. Parvenu sur une plate-forme, il se sent envahi par une ivresse délicieuse : « *Je respire un air plus léger que l'air. Je suis plus léger que l'air. Le soleil se dissout dans une lumière plus grande que le soleil. Je passe à travers tout. Les formes ont disparu. Je monte... Je monte... Une lumière qui ruisselle... Je monte...* » Échappant à la fois aux contingences terrestres et à la pesanteur, Choubert s'envole en dépit des protestations de Madeleine et du Policier. Mais au milieu de ses évolutions aériennes un brusque vertige le saisit : « *Oh !... J'hésite... J'ai mal... Je m'élance !...* » Il pousse un gémissement et s'effondre... dans une grande corbeille à papiers.

Les psychanalystes verraient sans doute dans ce rêve le symbolisme d'une excitation érotique, typiquement masculine [1].

Or Ionesco propose une explication différente de son propre cas :

> Deux états de conscience fondamentaux sont à l'origine de toutes mes pièces : tantôt l'un, tantôt l'autre prédomine, tantôt ils s'entre-mêlent. Ces deux prises de conscience originelles sont celles de l'évanescence ou de la lourdeur ; du vide et du trop de présence ; de la transparence irréelle du monde et de son opacité ; de la lumière et des ténèbres épaisses... (*Notes*, 140)

Choubert connaît lui aussi ces « *deux états de conscience* ». Lorsqu'il prend son essor, il constate avec joie l'abolition du monde extérieur : « *Plus de ville, plus de bois, plus de vallée, plus de mer, plus de ciel...* » Tout est transparent, une intense clarté a dissipé les ténèbres : « *Je baigne dans la lumière... La lumière me pénètre. Je suis étonné d'être, étonné d'être... étonné d'être...* » Or ce sont exactement les termes que Ionesco emploie pour décrire l'étrange euphorie qui parfois s'empare de lui : « *... Plus rien n'a d'importance en dehors de* L'ÉMERVEILLEMENT D'ÊTRE, *de la nouvelle, surprenante conscience de notre existence dans une* LUMIÈRE *d'aurore, dans la liberté retrouvée, nous sommes* ÉTONNÉS D'ÊTRE... » (*Notes*, 140-41 ; j'ai SOULIGNÉ les mots importants.) Mais cet enchantement ne tarde pas, hélas ! à se dissiper : « *La légèreté se mue en lourdeur ; la transparence en épaisseur ; le monde pèse ; l'univers m'écrase* » (*ibid.*, 141). Choubert de tout son poids retombe sur le sol, et le Policier tire judicieusement la morale de cet échec : « *Tu es trop lourd, tu es trop léger.* »

Cette alternance d'états euphoriques et de dépressions n'est pas particulière à un individu ; comme le signale Ionesco,

> Chacun de nous a pu sentir, à certains moments, que le monde a une substance de rêve, que les murs n'ont plus d'épaisseur, qu'il nous semble voir à travers tout, dans un univers sans espace, uniquement fait de clartés et de couleurs. [...] Certainement, cet état de conscience est très rare, ce bonheur... ne tient guère... (*Notes*, 140-141)

1. Cf. FREUD, *La Science des rêves*, chapitre VI ; ALLENDY, *op. cit.*, p. 125.

Il est en effet possible d'invoquer le témoignage d'autres écrivains. Baudelaire, par exemple, a chanté l'allégresse de l'esprit délivré de la chair :

> « *Par delà les confins des sphères étoilées,*
> *Mon esprit, tu te meus avec agilité...* »

Ces instants privilégiés ne durent guère ; le Spleen bientôt succède à l'Idéal, l'homme éprouve l'affreuse sensation d'être écrasé par le monde extérieur,

> « *Quand le ciel bas et lourd pèse comme un couvercle*
> *Sur l'esprit gémissant en proie aux longs ennuis...* »

Il serait fastidieux de citer d'autres textes, empruntés à des auteurs illustres ou obscurs, tous concordant. Les artistes et les mystiques sentent parfois une intense lumière les pénétrer, une force irrésistible les porter vers le haut ; inspiration, dira l'un, présence de Dieu, dira l'autre. Mais le rayon qui éclaire l'âme fuit comme le soleil à l'horizon, et déjà les ténèbres et le froid annoncent la revanche de la Chair. Tous les hommes sentant et pensant sont, à des degrés divers, et pour des raisons variées, cyclothymiques. Tous, plus ou moins, nous nous retrouvons dans Choubert, et c'est pourquoi son aventure nous intéresse.

Voilà donc une pièce étrange et attachante, où se mêlent bien des éléments hétéroclites : déclarations dogmatiques et parodie du théâtre conventionnel ; satire de la psychanalyse et pourtant psychodrame sincère, où l'auteur « joue » pour lui-même et pour nous ses angoisses qui sont aussi les nôtres ; imitation consciente ou non de confrères, et pourtant affirmation d'une personnalité originale. Dans l'ensemble de la production du dramaturge, *Victimes du Devoir* apparaît comme une œuvre de transition entre les esquisses qui précèdent et les pièces plus étoffées qui vont suivre. Ionesco pince toutes les cordes de sa lyre, et tend l'oreille pour saisir la note juste d'où naîtra une symphonie. Aussi bien que « pseudo-drame », le sous-titre de la pièce aurait pu être « drame expérimental ».

comment s'en débarrasser ?

A l'époque romantique, les cadavres restaient sagement dans les armoires. De nos jours, et par la faute de M. Ionesco, ils ont perdu cette discrétion et envahissent les appartements. Si vous tuez quelqu'un, vous n'aurez plus désormais la ressource de dissimuler le corps chez vous ; c'est la leçon à tirer de la mésaventure d'Amédée et de Madeleine.

Cette histoire fantastique, l'écrivain nous l'a racontée deux fois, d'abord dans une nouvelle intitulée « Oriflamme », ensuite dans une pièce de théâtre [1]. Un meurtre a été commis il y a de nombreuses années, personne n'en sait rien, car les coupables cohabitent avec la dépouille mortelle de leur victime, en s'astreignant à une claustration absolue. Le secret est bien gardé jusqu'au jour où le cadavre est atteint de progression géométrique, cette « *maladie incurable des morts* ». Le scandale va éclater ; la concierge et les voisins commencent à clabauder, la police tend l'oreille. Amédée et Madeleine mènent une vie affreuse, chassés peu à peu de chez eux par le défunt en pleine crise de croissance. Comme il faut s'en débarrasser à tout prix, Amédée, profitant des ténèbres de minuit, tire l'immense cadavre hors de l'appartement, sans renverser les poteries, puis le traîne vers la Seine... C'est alors que se produit un phéno-

---

1. « Oriflamme », publiée par la *N.R.F.* en février 1954, a été incorporée à *La Photo du Colonel. Amédée ou Comment s'en débarrasser*, comédie en trois actes, a été créée le 14 avril 1954.

mène extraordinaire, si extraordinaire qu'il vaut mieux, pour l'instant, renoncer à le décrire et à l'expliquer.

Cette intrigue folle est conduite avec un sérieux exemplaire. Le lecteur pose la question d'un glorieux maréchal : de quoi s'agit-il ? La réponse apparaît plus claire dans la nouvelle que dans la pièce ; contemplant le cadavre, dont la barbe blanche descend jusqu'aux genoux, le narrateur médite : « *Qui aurait reconnu là le beau jeune homme qui, un soir, dix ans auparavant, nous avait rendu visite, était tombé subitement amoureux de ma femme et — mettant à profit mes cinq minutes d'absence — était devenu son amant, le soir même ?* » *Je* a donc commis un crime passionnel, dont il conserve un souvenir précis. Il en va différemment d'Amédée qui « *embrouille tout* », confond « *les rêves avec la réalité* », et se demande avec une apparence de bonne foi : « *— Est-ce que vraiment je l'ai tué ?* » Il doute même de l'identité de la victime : « *... Il me semble que le galant était déjà parti... au moment du crime.* » Ce cadavre qui vieillit et grandit si vite est peut-être celui du bébé qu'une voisine leur a un jour confié et qu'elle n'est pas revenue chercher. Ses vagissements ont énervé Amédée, provoqué « *un mouvement de colère légitime... un geste maladroit... un peu brutal... un bébé ça se tue comme une mouche* ». Du reste, peut-être n'y a-t-il pas eu meurtre : « *Un bébé c'est fragile. Ça ne tient à la vie que par un fil.* » Mais ces arguties n'ébranlent pas la conviction de Madeleine, qui affirme : « *Ma mémoire est plus sûre que la tienne. C'était le galant.* » Si le narrateur dans *Oriflamme* reconnaît sans faux-fuyants sa culpabilité, Amédée dans la pièce est contraint par sa femme d'assumer, en rechignant, ses responsabilités. Cette modification, selon toute vraisemblance, a été imposée par des nécessités dramaturgiques, le conflit donnant plus de mouvement à la comédie.

Quoi qu'il en soit, dans un cas comme dans l'autre, l'homme est devenu un assassin parce qu'il était un mal-aimé. Dans le récit et dans la pièce, il prononce ces paroles significatives : « *Si nous nous aimions, en vérité, tout cela n'aurait plus d'importance. [...] Aimons-nous, Madeleine, je t'en supplie, tu sais, l'amour*

arrange tout, il change la vie. » (« Oriflamme », 19 ; *Amédée,* 282).
Mais l'œil sec et la bouche dure, Madeleine repousse les avances
de son mari. Une scène de la comédie, dont la nouvelle ne possède nul équivalent, jette une lumière crue sur les sources profondes de cette mésentente conjugale. En attendant l'heure de
faire disparaître le cadavre, Amédée se laisse glisser dans une
rêverie mélancolique. Le passé ressuscite. En face de Madeleine portant voile et robe blanche, voici le jeune marié, dont
la joie éclate : « — *Je déborde de chansons... la, li, la, li, la, la,
la, la !* » Or la nouvelle épousée le rabroue rudement : « — *Ne
chante pas avec ta voix fausse. Tu me déchires les oreilles !* [...]
Tu fais ma-a-al ! » L'incompatibilité sexuelle est suggérée sans
équivoque : « — *Je ne veux pas, je ne veux pas...* », hurle la
mariée. « *J'ai peur ! Aaah !... Miséra-a-able ! !* [...] *On m'enfonce des épingles de feu dans la chair. Aaah !* » La nuit de noces
s'est terminée par un viol... Brutalité ou inexpérience du mari ?
Frigidité naturelle ou accidentelle de la femme ? Ionesco se
garde d'analyser les raisons de cet échec. Il n'empiète pas sur
le terrain du psychologue, du médecin, et du moraliste. Ce qui
l'intéresse, en qualité de dramaturge, ce sont moins les causes
occultes que les conséquences visibles. Des images poétiques
traduisent le désaccord entre les jeunes époux. A l'exaltation
de l'un s'oppose le sombre désespoir de l'autre :

AMÉDÉE. — Maison de verre, de lumière...
MADELEINE. — Maison de fer, maison de nuit !

Amédée ne peut croire à son malheur : « — *De verre, de lumière* »,
répète-t-il avec obstination, tandis que Madeleine répond en
écho : « — *De fer, de fer, de nuit, de fer, de nuit...* » A la fin,
Amédée vaincu se met à l'unisson : « — *Hélas, le fer, la nuit...* »
M. Pronko propose une hypothèse hardie et séduisante :
l'amant assassiné, écrit-il, n'est peut-être « *personne d'autre que
le jeune Amédée* »[1]. En tout cas, le cadavre semble symboliser
l'amour mort ; il grandit au rythme des rancœurs, des dégoûts

---

1. *Théâtre d'avant-garde,* p. 120.

accumulés pendant des années et qui vont aboutir à une séparation définitive. Drame banal et humain, banal parce qu'il
est humain. Cependant il fait battre le cœur du public, même
blasé, car il est présenté sous une forme dramatique neuve,
où l'extrême réalisme s'allie à l'extrême fantaisie.

Reniant en apparence ses principes artistiques, Ionesco
reprend à son compte certains procédés du théâtre conventionnel. De ses pièces précédentes, il avait chassé cet indési-
rable : le Personnage. Les Smith et les Martin, les Jacques et
les Robert, le Professeur et son Élève sont animés par des pul-
sions érotiques ou agressives, mais ils n'ont pas de *caractère*,
pas plus qu'ils ne possèdent une identité, une situation sociale,
un passé. Le Vieux et la Vieille, également anonymes, à défaut
d'âme n'ont que des obsessions. Le Policier et Nicolas ne sont
que des marionnettes construites en vue d'une démonstration
précise ; quant à Choubert, il se contente d'être le porte-
parole de l'auteur, dont il exprime les idées sur le théâtre, les
angoisses ou les phantasmes. Or dans *Amédée*, pour la première fois, on trouve des personnages, au sens traditionnel du
mot. Ionesco, qui l'eût cru ? parle comme François Mauriac.
A l'instar du romancier, il se flatte de laisser aux êtres qu'il
crée leur libre arbitre : « *Ils font ce qu'ils désirent, ils me dirigent,
car ce serait une erreur pour moi de vouloir les diriger.* [...] *La
création* [...] *est vie, liberté, elle peut même être contre les idéaux
connus et se tourner contre l'auteur.* » (*Notes*, 175 ; à propos
d'*Amédée*). De même, Mauriac assure (dans *Le Romancier et
ses personnages*) qu'il lui arrive, assez souvent, de rougir de ce
que font et disent les héros de ses livres. Il en éprouve d'ailleurs une joie secrète, car si l'un d'eux « *se plie docilement à ce
que nous attendons de lui, cela prouve, le plus souvent, qu'il est
dépourvu de vie propre et que nous n'avons entre les mains qu'une
dépouille* ». Et pourtant il aime ses « *plus tristes personnages* »,
comme « *la préférence d'une mère va d'instinct à l'enfant le plus
déshérité* ». Semblable à l'auteur de *Nœud de Vipères*, Ionesco
se sent gagné « *par une sorte d'attendrissement* », en suivant ses
créatures ; cependant, lorsque la comédie tend à devenir dra-

matique, il a un « *revirement* », et pour se défendre contre ce qu'il estime une faiblesse transforme le portrait en charge (cf. *Notes*, 100).

Amédée, c'est Ionesco lui-même, mais un Ionesco caricatural, non pas un dramaturge fécond, mais un pauvre homme de lettres frappé d'impuissance. Dans *Oriflamme*, le narrateur ne précise pas sa profession ; il s'avoue « *paresseux, indolent* », vivant sans vergogne aux crochets de sa femme qui écrit des poésies et les vend pour augmenter ses maigres ressources. Or, dans la comédie, ce n'est plus Madeleine, c'est Amédée qui donne dans la littérature ; mais sa production est si limitée qu'elle ne lui permet guère d'améliorer ses revenus. Il écrit des pièces, ou plutôt il essaye d'écrire une pièce, qui pourrait bien être intitulée *Les Chaises*. Hélas ! Il en est toujours à la première scène et en l'espace de quinze ans il n'a trouvé que deux répliques : « *La vieille dit au vieux : — Crois-tu que ça va marcher ? [...] Le vieux répond : — Ça n'ira pas tout seul* ». En revanche, il est intarissable lorsqu'il s'agit de trouver des excuses à sa stérilité. Il se plaint de sa santé : « *— Je me sens fatigué, fatigué. Je suis rompu, lourd, je digère mal, j'ai l'estomac ballonné, j'ai sommeil tout le temps.* » Il déplore aussi sa situation matérielle qui ne lui permet pas de se consacrer, l'esprit libre et tranquille, à la création littéraire ; irrité lorsque Madeleine lui demande de faire les commissions, il s'écrie : « *— Dans ces conditions, il n'est pas facile de travailler. Tu t'étonnes que je n'avance pas. [...] Je ne peux pas travailler, je ne peux pas travailler ! Je n'ai pas les conditions normales du travail intellectuel.* » Enfin, l'étrange malheur qui s'est abattu sur lui achève de paralyser sa muse ; voyant les jambes du mort poursuivre leur progression à travers la salle à manger, il déclare, navré : « *— Et mes pièces, alors, je ne vais plus pouvoir les écrire... Nous sommes fichus...* » Bien que ces doléances soient en partie justifiées, la mauvaise foi contribue à les inspirer. Sartre classerait Amédée parmi les *salauds* et donnerait raison à Madeleine qui se charge de réfuter les sophismes. Lorsque son mari rend le dénuement matériel responsable de son manque d'inspiration, en disant :

« — *Il faut être un héros, un surhomme, pour écrire dans ma situation, dans cette misère* », Madeleine ricane : « — *Tu as déjà vu un surhomme dans la misère ? tu serais bien le seul.* » Si Amédée se plaint que le cadavre l'empêche d'écrire, Madeleine lui lance la vérité au visage : « — *C'est ton excuse rêvée pour ne plus travailler du tout !* » L'Enfer, c'est l'Autre ; en face de ce juge inflexible, Amédée est contraint de se voir tel qu'il est : « — *Oui, Madeleine, tu as raison. Un autre se débrouillerait certainement mieux. Je suis désarmé dans la vie. Je suis un inadapté...* » Il est émouvant d'entendre un raté avouer humblement sa défaite, sans cynisme et sans aigreur. Amédée n'a rien réussi, ni en littérature ni en amour.

Dans ses rapports avec sa femme, on note un mélange de faiblesse et de bonté, d'amertume et de tendresse. Son attitude ne cesse d'être ambiguë, et souvent sa sollicitude cache à peine une défaillance morale. Au moment de la catastrophe, plein de bon vouloir, il essaye de réconforter Madeleine au bord de la crise nerveuse, mais il est trop médiocre pour sortir des banalités d'usage : « — *Tout le monde a des ennuis. [...] Il y en a de plus malheureux que nous !* » Au début, il insistait pour que sa femme mît un terme à ses stations trop fréquentes et trop longues dans la chambre du mort : « *C'est parce que j'ai pitié de toi que... je ne voudrais pas que tu restes là à le contempler, ça te fait du mal et ça ne sert à rien...* » En le traitant d'hypocrite et de menteur, Madeleine a à la fois tort et raison. Son mari a pitié d'elle, sincèrement pitié, sans aucun doute, mais il a pitié de lui-même également. Quand il la prie d'abréger ses visites au cadavre, il est animé par des sentiments mêlés, dont il ne peut avoir une conscience claire ; s'il craint pour la santé morale de sa compagne, déjà ébranlée, il éprouve sans doute aussi de la jalousie à l'égard de ce défunt trop intéressant ; enfin, la solitude lui pèse, et dans cette ambiance morbide il a besoin à ses côtés d'une présence vivante.

La lâcheté, autant que la compassion, le conduit à user d'échappatoires. Découvrant que les champignons prolifèrent, Madeleine le rudoie : « — *Pourquoi ne me l'as-tu pas dit tout de suite ? Tu me caches toujours tout !* » Amédée trouve la bonne excuse : « — *Je voulais t'épargner... Tu as assez d'ennuis !* » Or c'est peut-être lui-même qu'il a voulu épargner. Il a passé sous silence ce désagrément supplémentaire, parce qu'il redoute les lamentations et les reproches de sa femme. De plus, comme ne pas nommer une chose, c'est lui refuser l'existence, il tente par le silence de supprimer les champignons. Il fuit devant la réalité. L'oblige-t-on à reconnaître la présence de ces cryptogames, insolites dans un appartement, aussitôt il essaye de tranquilliser Madeleine, et de se tranquilliser, en affirmant que ce phénomène est naturel, voire bénéfique : « — *Ils sont tout petits* [...] *Ce n'est peut-être que l'humidité... Cela arrive souvent, tu sais, dans les appartements. Et puis ça sert peut-être à quelque chose : cela chasse les araignées...* » Quant au cadavre, pourquoi s'alarmer s'il grandit ? « — *C'est normal. C'est sa crise de croissance.* »

Amédée se montre incapable de prendre une décision et d'agir de son propre chef. Constamment il a besoin de l'Autre, et réclame son secours : « — *C'est trop injuste... Et dans un cas comme celui-ci... personne à qui demander conseil !...* » Les bras croisés, il attend que le Ciel vienne à son aide. Furtivement il va jeter un coup d'œil dans la chambre du mort : « — *J'ai eu un moment d'espoir. Je me suis dit qu'il aurait peut-être disparu...* » Il a beau admettre qu' « *il n'y a plus de miracles... hélas...* », ce miracle il continue à l'espérer, il l'exige : « — *Ça va s'arranger, je te dis, ça va s'arranger... J'en suis sûr... Ce n'est pas possible que ça ne s'arrange pas...* ». Mais les cieux restent muets et vides de signes. Le désastre prend de telles proportions, les récriminations de Madeleine deviennent si violentes que, de toute urgence, il faut faire quelque chose. « — *Quand ? Quand ? Quand ?* », interroge Madeleine au comble de l'exaspération. Amédée répond de guerre lasse : « — *Demain... Laisse-moi me reposer* ». Madeleine a acquis une trop amère expérience de ce genre de promesses pour ne pas recourir à la menace : « — *Écoute, si tu ne m'en débarrasses pas, je divorce.* » Contraint d'agir, Amédée a une hésitation suprême, mais que l'on ne peut attribuer à son

ordinaire aboulie. Ce cadavre qu'il se prépare à expulser par
la manière forte, il le contemple, saisi d'un soudain attendrissement : « — *Il est toujours beau... C'est bizarre, je m'étais,
malgré tout, habitué à lui.* » Pour une fois, Madeleine tombe
d'accord avec son époux : « — *Moi aussi...* » Cependant elle
ajoute : « — *Ce n'est pas une raison pour ne pas le renvoyer.* »
Ce cadavre est le symbole d'une grande espérance, morte sans
doute, Espérance quand même. « — *Il a été le témoin muet de
tout un passé* — rappelle Amédée —, *pas toujours agréable ce
passé, évidemment, évidemment...* » Or ce passé est sur le point
d'être aboli ; en emportant le cadavre, Amédée va se séparer
pour toujours de Madeleine qu'il n'a jamais cessé d'aimer.

C'est ce qui rachète ce fantoche à nos yeux. Une petite flamme
brille en lui, que les bourrasques ne parviennent pas à éteindre.
Sans se lasser, depuis plus de quinze ans, il attend de sa femme
une parole douce, il guette un geste affectueux, et ne récolte
que des rebuffades. Évoquant les soins dont le cadavre fut
entouré, il demande et se demande : « — *Nous en veut-il encore ?...
Nous l'avons installé dans la plus belle pièce, notre chambre à
coucher de jeunes mariés...* » A ces mots, il veut prendre la main
de sa femme ; elle la retire. Il lui arrive une fois, une seule
fois, d'éprouver un immense espoir, lorsque, désemparée, Madeleine le supplie : « — *Mon chéri, fais quelque chose...* » Bouleversé,
ivre d'un bonheur naissant, il s'écrie : « — *Comment as-tu dit ?* »
Las ! de nouveau irritée Madeleine réplique : « — *J'ai dit
simplement* fais quelque chose... » Et quand Amédée gémit de
la dureté de sa compagne, nous ne pouvons que compatir :
« — *Tu ne me laisses pas un instant de répit... Moi aussi je souffre.
Moi non plus je ne me reconnais plus...* » Ce menteur, cet hypocrite parle en cet instant avec sincérité, ce pantin prend des
proportions humaines.

Parvenu à ce degré d'intensité émotionnelle, craignant de
tomber dans le drame sentimental et psychologique, Ionesco
part d'un immense éclat de rire, et ôte d'un coup la vie qu'il
avait donnée à sa créature. Lorsqu'il se décide à sortir le cadavre
de l'appartement, Amédée se montre « *non pas calme, mais*

comme absent, agissant comme un automate ». Il est vidé de toute pensée, de tout sentiment, en un mot de toute humanité. Dans la rue, il rencontre un soldat américain ivre, et, sans raison, se lance dans une profession de foi littéraire où il se plaît à prendre le contre-pied des principes de Ionesco : « — *Je suis pour l'engagement, je crois au progrès, Monsieur. Une pièce à thèse contre le nihilisme, pour un nouvel humanisme, plus éclairé que l'ancien.* » Il finira par prononcer, moulin à paroles, des phrases dépourvues de sens. Avant même de disparaître dans les airs, ce personnage a cessé d'exister.

Pour reprendre la terminologie de Jung, disons que si l'*anima* d'Amédée se révèle trop molle, en revanche l'*animus* de Madeleine apparaît trop ferme. Ce mariage n'est pas harmonieux ; la femme ne complète pas l'homme, elle le « compense », d'où un désaccord sans remède. Madeleine se montre encore plus désagréable dans la pièce que dans le récit ; il est vrai que l'accentuation de ce défaut est due à des raisons dramaturgiques autant que psychologiques. Le théâtre vivant d'antagonismes, Ionesco a été conduit à forcer les traits de caractères dans des sens opposés : Amédée plus nonchalant, Madeleine plus énergique.

Dans « Oriflamme », le narrateur se flatte de posséder au moins une qualité, la lucidité : « *Je suis un esprit réaliste ; si je manque de volonté, par contre je raisonne clairement.* » Il fait d'ailleurs sans complaisance son examen de conscience :

Ah ! je suis paresseux, indolent, désordonné, brisé de fatigue à ne pas agir ! Je ne sais jamais où je fourre mes affaires. Je perds tout mon temps, j'use mes nerfs, je me détruis à les chercher, à fouiller dans des tiroirs, à ramper sous les lits, à m'enfermer dans des chambres noires, m'ensevelir sous des penderies... J'entreprends toujours un tas de choses que je n'achève jamais, j'abandonne mes projets, je lâche tout... Pas de volonté, parce que pas de vrai but !...

Il aurait été fâcheux de transposer cette confession dans la pièce sous forme de monologue, procédé arbitraire auquel le dramaturge répugne de recourir. Le texte est donc dialogué, mais c'est Madeleine qui prend la parole ; la confession devient un réquisitoire, l'autocritique une critique :

MADELEINE. — Tu ne diras pas que tu n'es pas paresseux, indolent, désordonné...

AMÉDÉE. — Brisé de fatigue, surtout, brisé de fatigue.

MADELEINE. — Tu ne sais jamais où tu mets tes affaires. Tu perds les trois quarts de ton temps à les chercher, à fouiller dans les tiroirs, je te les trouve sous les lits, n'importe où. Tu entreprends toujours un tas de choses que tu n'achèves jamais. Tu abandonnes tes projets. Tu lâches tout.

Amédée n'intervient donc qu'une seule fois pour réclamer le bénéfice des circonstances atténuantes, en évoquant sa grande fatigue, signe d'un mauvais état de santé.

Loin d'apparaître comme un simple artifice dramaturgique, l'aigreur de Madeleine est psychologiquement motivée par une double déception, affective et sociale. Cette femme ne se résigne pas à être frustrée des plaisirs de l'amour. Une fois, une seule fois, peut-être les a-t-elle furtivement goûtés, et ce souvenir hante sa mémoire. Loin d'éprouver de la honte, elle en fait parade, disant à Amédée : « ... *Tu prétendais qu'il était mon amant... Je ne l'ai pas nié...* » Ce défi, son partenaire n'ose le relever. Il s'efforce de plaider non coupable, attribuant la mort du galant à un « *coup de sang* », provoqué par un désir érotique trop intense. Madeleine repousse avec mépris cette explication : « — *Un jeune homme de vingt ans a les artères souples, il ne meurt pas de ça, il n'a pas le sang épais d'un vieux bonhomme...* » Cette réplique est accompagnée d'une note de mise en scène : « *En disant vieux bonhomme, Madeleine appuie sur ces deux mots et jette un coup d'œil plein de sous-entendus à Amédée ; celui-ci fait semblant de ne pas comprendre.* » Dans le mariage, à défaut des voluptés permises, cette femme n'a même pas trouvé de satisfactions d'amour-propre. Elle traite son mari de « *fainéant* », et ne se lasse pas de lui adresser des reproches : « *Tu ferais mieux d'écrire ta pièce... Ça n'a pas l'air d'avancer... Tu ne la termineras jamais...* » Incapable de conquérir la gloire, Amédée ne possède pas non plus la fortune qui permettrait à son épouse

de mener une vie décente, sinon agréable : « — *Je dois balayer.
Il faut que quelqu'un s'occupe du ménage. Nous n'avons pas de
bonne, personne pour m'aider. Et je dois encore gagner pour vivre.* »
Madeleine méprise la faiblesse de son compagnon : « — *Fais
donc quelque chose* », répète-t-elle avec acrimonie. Elle souffre
de cette infériorité, d'autant plus qu'elle s'inquiète de l'opinion de ses voisins : « — *Que vont dire les gens !* » Elle n'est pas
de ceux qui, réduits à un état humilié ou malheureux, trouvent
refuge dans le rêve. Elle critique aigrement « *l'optimisme de
façade* » de son mari, sa tendance à parer l'amère réalité des
prestiges de la littérature : « — *Ne soyons pas dupes, il faut voir
les choses telles qu'elles sont.* » Mais cette réaliste déforme les
faits, quand elle s'obstine à rejeter sur son compagnon seul
l'entière responsabilité de la catastrophe : « — *Je te répète que
c'est ta faute... C'est ton manque d'initiative qui est cause de tout...
Je te le répète, c'est ta négligence, ton laisser-aller, qui nous ont
perdus.* » Encore dans ces reproches excessifs doit-on reconnaître
une part de vérité. Mais Madeleine fait bon marché de la logique,
lorsqu'elle assure que si le « décès » avait été déclaré, ils joui-
raient de la prescription, quinze ans s'étant écoulés ; Amédée
a beau objecter que « *la prescription n'aurait pas eu le temps de
jouer* », Madeleine prend cette remarque de bon sens pour une
injure personnelle. Sa passion l'emporte au point qu'elle charge
son mari de tous les péchés de la terre, allant jusqu'à le soup-
çonner d'alcoolisme. Amédée hasarde une protestation : « — *Je
n'ai jamais pris que du jus de tomate.* » Alors, triomphante, Madeleine rétorque : « *... Si tu as toujours été aussi sobre, si tu n'as
rien de grave, si tes facultés sont intactes, vas-y, travaille, écris
tes chefs-d'œuvre !* » Quoi qu'il fasse ou qu'il dise, Amédée a
toujours tort.

Mais les nerfs de cette femme énergique, trop sûre de son
bon droit, finissent par se briser. En voyant le cadavre envahir
la salle à manger, elle fond en larmes. A la fin, elle « *perd de
plus en plus son sang-froid, son contrôle* » ; au moment où son
époux, qu'elle a enfin galvanisé, s'apprête à faire disparaître
le mort, elle bafouille, éperdue : « — *J'ai peur... On n'aurait*

pas dû se décider si vite... Il n'y avait pas moyen de faire autre-
ment... On aurait dû attendre... Non, on n'aurait pas pu attendre...
C'est ta faute... Non, ce n'est pas ta faute, car j'ai pourtant eu
raison, il fallait bien... » Madeleine est plus antipathique que
Amédée, bien que sa mauvaise humeur et sa mauvaise foi ne
soient pas sans excuses. Il arrive d'ailleurs à cette mégère
d'avoir un bon mouvement : « — *Écoute, aujourd'hui tu pourrais*
faire une exception, je te le permets. Bois un verre de vin, va,
tu as l'air si malheureux ! » Ce geste de pitié la rachète un peu.
Madeleine représente le type de la femme qui n'est pas méchante
au fond, mais que le désenchantement rend acariâtre. Toutefois comme Amédée, et pour les mêmes raisons, ce personnage si vivant, émouvant peut-être, « se désintègre » au troisième acte, où l'on n'aperçoit plus qu'une ménagère échevelée,
partie à la recherche de son époux entraîné dans une aventure
scabreuse.

Ionesco, ce briseur d'idoles, est donc venu se placer dans
le sillage des grands créateurs de personnages humains qui de
Racine à Mauriac ont établi une solide tradition. En dépit de
cette concession, il demeure fidèle à sa dramaturgie personnelle,
hardiment novatrice, bien qu'il ne se fasse pas scrupule d'utiliser, de temps à autre, une technique ancienne. Ainsi, l'acte Ier
contient une véritable « exposition » ; le retour à la comédie
psychologique, il est vrai, a nécessité l'emploi de ce procédé
classique. En revanche, on s'étonne que l'auteur d'*Amédée* con-
tredise le théoricien de *Victimes du Devoir*. Car *Amédée*, du
moins au début, est une pièce « policière ». Ce « reniement »
est d'autant plus curieux que la nouvelle initiale ne proposait
pas d'énigme, les premières lignes d'« Oriflamme » faisant connaître avec une parfaite clarté la situation : « *Pourquoi, me dit*
Madeleine, n'as-tu pas déclaré son décès à temps ? Ou alors te
débarrasser du cadavre plus tôt, quand c'était plus facile ! » Au
contraire, les premières répliques de la comédie amènent les
spectateurs à se poser un certain nombre de problèmes. Au
lever du rideau, après avoir cueilli un champignon, Amédée
murmure entre ses dents : « — *Ah, cette Madeleine, cette Made-*

leine, quand elle va dans la chambre, elle n'en sort plus ! Elle
l'a assez vu, pourtant, elle l'a assez vu. Nous l'avons assez vu,
celui-là ! Ah, la, la, la ! » Qui est donc cet hôte encombrant
et fascinant ? Le mystère s'épaissit, lorsque Amédée déclare,
après avoir à son tour jeté un coup d'œil dans la chambre :
« — *On dirait qu'il a encore grandi, un peu.* » S'agirait-il donc
d'une plante, d'un animal ? De plus, il existerait une relation
entre la prolifération extraordinaire des champignons et la
présence de l'inconnu : « — *Ça va devenir vraiment intolérable* »,
soupire Madeleine, « *s'il en fait pousser dans* [*la salle à manger*] ».
La vie continue, l'un essaie d'écrire, pendant que l'autre balaye.
Cependant ces occupations ne parviennent pas à dissiper l'angoisse. De nouveau Amédée est allé regarder la « chose » ; il
revient bouleversé et annonce ce qu'il a vu : un cadavre vieil-
lissant et grandissant. Toutefois les spectateurs devront attendre
l'acte II pour connaître l'identité (probable) du défunt, révélée
beaucoup plus tôt dans la nouvelle.

Ce qui fait l'intérêt de ce premier acte, ce n'est pas en définitive le « suspense », obtenu grâce à des recettes qui ont fait
leurs preuves ; ce sont plutôt les effets de mise en scène originaux et les sketches insolites, éléments caractéristiques du
théâtre d'avant-garde, savamment dosés pour accroître la tension d'une manière continue jusqu'au point de rupture. Durant
la première partie de l'acte, on ne voit pas le cadavre. Lorsqu'il revient de la chambre, Amédée fait chaque fois un rapport plus pessimiste : « *Il a encore grandi. Il n'aura plus de place*
sur le divan. Ses pieds dépassent déjà [...]. *Il a des ongles énormes.*
[...] *Ses orteils ont défoncé ses souliers.* » Puis le cadavre se manifeste lui-même, par des craquements « *légers* » qui ne tardent
guère à devenir « *énormes* », jusqu'à ce que retentisse « *un grand*
coup violent dans le mur » ; « *muets d'effroi* », Amédée et Madeleine, et avec eux les spectateurs, voient « *deux pieds énormes* »
sortir lentement par la porte défoncée, « *s'avancer d'une qua-*
rantaine ou d'une cinquantaine de centimètres sur la scène ».
Comme une tragédie de Racine, la comédie de Ionesco commence au moment où la crise est imminente ; mais alors que

dans le théâtre classique le dialogue traduit le pathétique de façon abstraite, le dramaturge moderne a recours à des moyens scéniques de concrétisation. La « machine » remplace l'analyse des états d'âme.

De même, une série de sketches bien menés fait connaître les dispositions intérieures du couple. Neuf heures sonnent ; « — *Il faut que j'aille au travail...* », soupire Madeleine, « *je vais être en retard !* ». Elle est standardiste dans un central téléphonique. Ionesco montre de façon saisissante ce qu'il y a d'abrutissant dans un pareil métier, où la sottise des hommes se donne libre cours. Voici un échantillon des conversations dérisoires que Madeleine poursuit avec des partenaires anonymes :

Non, Monsieur, il n'y a plus de chambre à gaz depuis la dernière guerre... Attendez la prochaine... [...] J'écoute... Je regrette, les pompiers ne sont pas là le jeudi, c'est leur jour de congé, ils promènent leurs enfants... Mais je n'ai pas dit que nous étions un jeudi... [...] Allo, oui j'écoute... Non, Madame, nous sommes en République... depuis 1870, Madame...

Comme l'écrit justement Ionesco, « *nous avons besoin d'humour, de cocasserie.* [...] *L'humour fait prendre conscience avec une lucidité libre de la condition tragique ou dérisoire de l'homme.* [...] *Prendre conscience de ce qui est atroce et en rire, c'est devenir maître de ce qui est atroce* » (*Notes*, 121). Le sketch illustre des réalités pénibles : esclavage de Madeleine, bêtise, ignorance, ou cruauté inconsciente de ses interlocuteurs. Néanmoins le ton reste comique, car avec un détachement apparent Ionesco donne un coup de pouce à la réalité, pour la rendre encore plus difforme. Ainsi le central est installé au domicile même du couple. Les deux personnages mènent en effet une vie cloîtrée, ne sortant jamais de chez eux et refusant d'ouvrir leurs volets sur le monde. Afin que ce repliement devienne visible, Ionesco a eu l'ingénieuse idée de transporter le lieu de travail de Madeleine dans son appartement. Tant il est vrai que beaucoup d'individus estiment la vie sociale et professionnelle dépourvue d'intérêt ; tout en la menant par force, ils ne cessent de songer à leur vie privée. L'observation de Ionesco est donc juste, l'idée qu'il développe très simple, sinon banale, mais la forme concrète dont il la revêt lui donne une originalité saisissante. Le dramaturge exploite à fond sa trouvaille, avec une « logique » implacable, d'où naissent des effets inattendus et cocasses. Comme midi approche, Madeleine dit à son mari, entre deux appels téléphoniques : « — *Tu pourrais aller aux commissions. On n'aura rien pour déjeuner. Prends le panier.* » Amédée entrouve les persiennes, descend le panier au bout d'une ficelle et passe la commande à un épicier invisible : « — *Mettez-moi une livre de prunes, s'il vous plaît !... Un demi-sel... Deux biscottes, deux yaourts... Cinquante grammes de sel fin.* » Tel sera le frugal déjeuner des deux reclus. Bien que ce sketch se suffise à lui-même, il serait fâcheux, sinon impossible, de le retrancher de l'ensemble, car il contribue à créer un « climat ». La remarque vaut pour la célèbre scène du facteur, qui lui fait suite. Pièce à sketches, *Amédée* n'est pas une pièce à tiroirs.

Si dans le premier acte, d'une densité extrême, les événements intérieurs et extérieurs, psychologiques et visuels, se succèdent à un rythme accéléré, en revanche le second acte, dont la durée est sensiblement plus longue, apparaît moins chargé, et provoque une chute d'intérêt. Les effets de surprise sont, si on peut s'exprimer ainsi, concentrés dans l'acte Ier ; à l'acte suivant, quoique les champignons atteignent une taille monstrueuse, et que le cadavre encombre le plateau, le choc émotionnel ne se reproduit pas. Au point de vue scénique, on ne relève qu'un seul élément neuf, la « *bizarre musique* », venant de la chambre du mort, et que le couple écoute avec recueillement. La nuit est tombée, la scène est devenue obscure, lorsqu'elle « *s'éclaire, d'une lumière verte, pas désagréable* ». Amédée murmure à Madeleine : « — *Ce sont ses yeux... On dirait deux phares...* » Cette musique harmonieuse quoique étrange, cette lumière douce, ce sont sans doute les souvenirs du couple, ses regrets, et ses espérances vagues. Alors que la première partie de la pièce ébranle les nerfs du public, la seconde invite à la mélancolie. La rhétorique, hélas ! reprend ses droits. Les personnages ont trop tendance à expliquer et à s'expliquer. Amédée et Madeleine, se penchant sur leur passé, révèlent les origines lointaines de leur mésentente. Ces retours en aırière s'accompagnent parfois de répétitions, et l'action, naguère si rapide, finit par piétiner. Amédée, par exemple, après bien des tergiversations, reconnaît sa responsabilité dans le meurtre du galant ; il la reconnaît du bout des lèvres, mais il la reconnaît. A peine le débat semble-t-il clos, que l'accusé rétracte ses aveux : « — *D'abord, il n'est pas tout à fait prouvé que je l'ai tué. Je n'en suis pas tout à fait certain.* » Madeleine remarque, à juste titre : « — *Ça recommence !* »

Quant à l'acte III, les critiques s'entendent pour déplorer son inconsistance [1]. C'est la partie faible de l'œuvre, et on le regrette d'autant plus qu'il s'agit du dénouement. Citons quelques chiffres éloquents à cet égard :

Acte Ier : 27 pages.
Acte II : 37 pages.
Acte III : 14 pages.

Il convient d'ajouter que dans les deux premiers actes n'interviennent que trois personnages : Amédée et Madeleine, personnages principaux, et un seul personnage épisodique, le facteur ; cette sobriété contribue à la puissance dramatique. En revanche, dans l'acte III, qui est très bref, on ne compte pas moins de huit personnages secondaires ; il en résulte une dispersion de l'intérêt. Ionesco s'est aperçu de cet inconvénient, puisque dans une seconde version cette partie, quelque peu remaniée, cesse de constituer un acte indépendant pour ne plus former que la scène finale de l'acte II.

Amédée est parvenu à sortir de la maison l'immense cadavre, qu'il traîne péniblement dans la rue sous les regards étonnés, compatissants ou réprobateurs de soldats américains, d'une prostituée, et d'un patron de bistrot. Les gens, attirés par le bruit, se mettent aux fenêtres, tandis que des sergents de ville

1. ESSLIN, *op. cit.*, p. 156 ; PRONKO, *op. cit.*, p. 121.

prennent le suspect en chasse. Brusquement on assiste à un prodige. Le cadavre se transforme en parachute, et soulevé par une force ascentionnelle irrésistible, entraîne dans les airs Amédée qui n'en peut mais. Bientôt il disparaît dans la Voie lactée. Madeleine verse un pleur : « — *C'est dommage ! Il avait pourtant du génie, vous savez !* » A quoi le cabaretier ajoute : « — *Un talent qui se perd ! Tant pis pour la littérature !* » Et la prostituée de conclure : « — *Personne n'est irremplaçable !* »

Il ne s'agit pas d'une simple guignolade, conçue pour effacer l'impression pénible que produit le drame. Comme l'écrit Martin Esslin,

nous voyons côte à côte les deux thèmes fondamentaux de l'expérience que Ionesco a du monde : la pesanteur et la prolifération des choses dans les deux premiers actes, la légèreté et l'évanescence dans le troisième. Quand Amédée se débarrasse du cadavre de son amour mort, cette présence étouffante se transforme en légèreté et le soulève dans les airs. [1]

Cette explication paraît judicieuse. L'envol d'Amédée est du reste préfiguré par celui de Choubert, bien que les différences soient sensibles. Amédée, pleinement conscient du phénomène, prie qu'on l'excuse de ce départ précipité et involontaire. En revanche, Choubert absorbé par son rêve n'entend ni les reproches ni les promesses dont on l'accable pour l'engager à redescendre. Amédée disparaît comme un météore, et il est peu probable qu'il revienne ; au contraire, Choubert retombe lourdement sur le sol. Enfin, si Amédée est réellement soulevé sous les yeux du public par une « machine », Choubert raconte et mime son envol, sans que ses pieds quittent le plateau.

Certes, Ionesco cherche à se renouveler ; mais dans le cas présent n'aurait-il pas subi l'influence d'une œuvre de Vauthier, *Capitaine Bada*, antérieure de plus de deux ans à *Amédée* ? Peu importe qu'il s'agisse ou non d'une *source*. Si entre Ionesco et Vauthier, on découvre une série de concordances, trou-

1. *Op. cit.*, p. 156.

blantes sans doute, les deux œuvres restent originales, car s'y manifestent des tempéraments différents et des conceptions artistiques opposées. A la truculence, à la verbosité de Vauthier s'oppose la rigueur de Ionesco, qui n'exclut pas la poésie. Les protagonistes de *Bada* parlent beaucoup, beaucoup trop ; en revanche, l'auteur d'*Amédée* accorde au spectacle une place de choix et évite le bavardage ; il est moins lyrique et plus dramatique que son confrère. Cela dit, si nous mettons les deux pièces en parallèle, c'est moins pour juger de leurs mérites respectifs que pour essayer de les éclairer l'une par l'autre.

Les intrigues présentent tant de traits communs qu'on pourrait leur donner pour sous-titre « Histoire d'un couple mal assorti ». La nuit de noces de Bada et d'Alice a été aussi décevante que celle de Madeleine et d'Amédée. « — *Pas de caresse ! Ne me touche pas !* », gronde Alice. Madeleine se défend avec la même vigueur, et dans les mêmes termes : « — *N'approche pas. Ne me touche pas.* » Alice perd la tête : « — *Que quelqu'un me secoure ! Un être mauvais me veut du mal !* » Madeleine manifeste un égal affolement : « — *Au secours, j'étouffe, au secours !* [...] *Tu fais ma-a-al !* » Les deux femmes considèrent l'union sexuelle comme un acte malpropre et douloureux. « — *Tu piques, piques, piques* », hurle Madeleine, « *tu me fais ma-a-al ! Ne déchire pas mes ténèbres ! Sadi-ique ! Sa-di-i-que !* » Alice exprime un dégoût non moins profond : « *Je ne serai pas ta bête à plaisir. Je ne mourrai pas sous toi. Je ne me noierai pas dans la souillure. Je ne serai pas suppliciée.* » Le vaudeville se mêle au drame. Dans les deux pièces, le marié vêtu de l'habit noir classique galope derrière la mariée dont le voile et la robe longue n'entravent guère la fuite. Cependant si la scène chez Vauthier est réelle, vécue dans le présent, chez Ionesco elle est l'évocation en *flash back* d'un souvenir lointain. L'action de *Bada* est très étalée dans le temps : à l'acte Ier on assiste aux fiançailles, à l'acte II au mariage, à l'acte III à la séparation définitive vingt-sept ans après. Au contraire, la durée de *Comment s'en débarrasser*, très resserrée, n'excède pas les vingt-quatre heures de la tragédie classique ; le passé n'apparaît qu'en surimpression fugitive.

En dépit de cette différence formelle, les ressemblances ne laissent pas d'être frappantes. Les deux couples se déchirent à huis clos, dans un appartement dont les volets ne s'ouvrent jamais. Ils souffrent de leur état de pauvreté qui confine à la misère. « — *Nos revenus étaient modestes* », se plaint Bada, « *mais ils deviennent inexistants !* » « — *Mes maigres revenus...* », gémit Madeleine, « *que je n'ai même plus, à présent...* » Bada comme Amédée est un écrivain sans inspiration qui s'effondre, épuisé, sur son manuscrit, dès qu'il a écrit un seul mot. Alice, comme Madeleine, s'acquitte en maugréant des plus viles besognes domestiques. Toutefois, alors que Amédée reconnaît ses torts, Bada se montre arrogant et odieux. Tyran domestique, il traite sa femme de « *garce ! sale bête !* », il la tient pour responsable de ses déboires, exige qu'elle lui mette ses chaussettes et lui donne à manger à la cuillère. L'un est un raté honteux, l'autre un raté insolent ; l'un a conservé un fond de tendresse, l'autre devient de plus en plus aigri et égoïste.

Malgré ces différences de caractères, les deux hommes connaissent le même destin et vont quitter la terre dans des circonstances à peu près analogues. Parvenu à la fin de sa vie, Bada écoute avec ravissement une musique belle et mystérieuse, venant d'une source inconnue. Comment ne pas penser à la musique du mort, qui charme Amédée et Madeleine, juste avant leur séparation ? Bada cherche à déterminer l'endroit d'où provient ce concert improvisé ; juché sur une haute armoire, il ausculte le plafond, perd soudain l'équilibre, et dans sa chute se blesse mortellement. Peu avant cet accident, un employé à casquette dorée était apparu dans l'embrasure de la porte et, quelle bizarre coïncidence ! avait déclaré se nommer Amédée, « *sous-chef de la compagnie nouvelle des Pompes Funèbres, section I* ». Croyant qu'il faisait erreur, on l'avait chassé sans ménagement. Quand le malheur est arrivé, l'Employé revient, et invite Bada à s'installer « *dans la nacelle d'une machine volante* », munie d'une hélice. Contrairement à Madeleine, Alice approuve en termes lyriques cet envol : « — *O mon époux ! ne regrette pas d'aller dans la nuit étoilée ; tu vas monter comme si tu étais assis entre les ailes d'un coléoptère...* »

On en vient à se demander si le départ d'Amédée n'a pas la même signification. En s'élevant dans les nues, le personnage laisse tomber sur la terre souliers, cigarettes et veston que les témoins se partagent sans vergogne ; est-ce la satire de l'héritage ? Amédée, incontestablement, se libère du passé ; mais a-t-il encore un avenir ? Est-il mort, est-il vivant ? Il a disparu, la chose est sûre, tandis que la foule se livre à des commentaires incertains : « — *Il ne reviendra pas...* — *Il reviendra peut-être...* — *Oh non, il ne reviendra pas...* » En fait, personne, et l'auteur lui-même sans doute, n'en sait rien. Et qui pourrait dire sur quelle planète vont se poser Bada et Amédée ? Ne risquent-ils pas de tourner indéfiniment dans l'espace, comme des spoutniks ? Le spectacle est terminé, le drame continue.

éteignez... merci

L e *Nouveau Locataire* produit sur le public une impression assez vive que, fidèles à leur rôle, les critiques ont essayé d'analyser. Les explications qu'ils proposent font honneur à leur ingéniosité, et même, que justice leur soit rendue, contiennent une part de vrai ; mais elles présentent toutes le défaut de ne pas tenir assez compte des indications, précises pourtant, fournies par la pièce même.

Martin Esslin formule deux hypothèses qu'il a la discrétion de ne pas chercher à imposer. « *La chambre vide* — écrit-il — *qui se remplit de meubles, lentement d'abord, ensuite avec une vitesse accélérée, est-elle l'image de la vie de l'homme, vide au début, et peu à peu encombrée d'expériences nouvelles et répétées et de souvenirs ?* » Cette première interprétation se révèle peu satisfaisante. Des objets inanimés, utilitaires par surcroît, dépourvus de valeur artistique (il s'agit de meubles en bois de caisse), impersonnels, ne peuvent représenter des « *expériences* » vécues, personnelles, uniques. En outre, leurs formes géométriques, nettes et rigides, n'ont rien de comparable aux « *souvenirs* » qui dans un flux perpétuel se modifient, vivent, meurent et renaissent. La seconde hypothèse paraît moins contestable : « *La pièce est-elle simplement une traduction en langage scénique de la claustrophobie* — *du sentiment d'être cerné par une matière lourde et oppressante* — *de l'angoisse dont souffre Ionesco ?* »[1]. Le critique fait allusion aux dépressions du dra-

1. *Op. cit.*, p. 158.

maturge, parfois accablé par l' « *opacité* » du monde, sa « *lour-deur* », son « *trop de présence* », ses « *ténèbres épaisses* » (*Notes,* 140). Ionesco affirme du reste que cet état de conscience est « *le point de départ de quelques-unes de* [*ses*] *pièces que l'on considère dramatiques* » (*ibid.,* 141), et il cite parmi celles-ci *Le Nouveau Locataire,* où l'on voit en effet un *Monsieur* disparaître parmi les meubles entassés dans une chambre sans air et sans lumière. Cependant le Monsieur ne témoigne aucune angoisse, et loin de souffrir de « *claustrophobie* », il se cloître de son propre gré, avec une satisfaction évidente. Il est non pas écrasé par l'univers, mais prisonnier d'objets manufacturés que, en toute liberté, il a fait apporter chez lui. Les sensations qu'éprouve Ionesco dans ses périodes de désarroi sont d'une nature différente : « *Un rideau, un mur infranchissable s'interpose entre moi et le monde,* [...] *l'horizon se rétrécit, le monde devient un cachot étouffant* » (*Notes,* 141). Pour traduire cette oppression, l'auteur aurait pu, par exemple, choisir pour héros un mineur enseveli dans une galerie ; l'oxygène manque peu à peu, les batteries de la torche électrique s'épuisent, sous l'effet des éboulements successifs les parois se rapprochent... Or il semble que ses intentions aient été autres.

En lisant le texte plus attentivement que son confrère, Léonard C. Pronko a relevé un détail dont il a compris l'extrême importance : « *Ce à quoi nous assistons en réalité, c'est à l'enterrement d'un homme, et il n'y manque même pas les fleurs : avant de partir, le Premier Déménageur grimpe sur une échelle pour regarder dans l'enclos de meubles, s'assurer que le nouveau Locataire est à l'aise, et lui jeter quelques fleurs* » [1]. Voilà donc exprimé, en termes clairs, ce qui provoque chez les spectateurs une inquiétude, un malaise dont ils n'ont guère le loisir d'analyser la cause : c'est à une cérémonie funèbre qu'ils assistent. Voulant suggérer et non pas imposer une vision, Ionesco procède par touches discrètes, comme le montre cette note de mise en scène : « *Le jeu doit être, au début, très réaliste, ainsi que les décors*

1. *Op. cit.,* p. 117.

et, par la suite, les meubles qu'on apportera. Puis le rythme, à peine marqué, donnera insensiblement au jeu un certain caractère de cérémonie. Le réalisme prévaudra, de nouveau, à la dernière scène. » Ainsi la « cérémonie » se célèbre furtivement au cours de l'action. La tenue du Monsieur n'a d'ailleurs pas été choisie au hasard : « *chapeau melon sur la tête, veston et pantalons noirs, gants, souliers vernis.* » Il s'est de toute évidence habillé pour assister à un enterrement, son propre enterrement. Néanmoins, Pronko commet un contresens lorsqu'il estime que cette façon de se vêtir désigne le personnage comme un « conformiste » ; le critique précise du reste le sens particulier qu'il donne à ce mot : le Monsieur « *accepte, ou plutôt invite la mort vivante que l'univers semble nous imposer de force* ». Pronko rejoint donc le point de vue d'Esslin, et nous pourrions élever la même objection : les meubles ne représentent pas la matière brute. Il n'en est pas moins exact que le locataire *invite* la mort et d'un cœur léger l'*accepte* quand elle vient. Il reste à se demander pourquoi il commet ce suicide.

Le Monsieur se conduit non pas en conformiste mais en technicien. De l'ingénieur, il possède le sang-froid et la rigueur. Alors que la concierge l'accable de reproches injurieux, il conserve sa dignité, et d'un ton qui n'admet pas de réplique, la renvoie à sa loge ; voilà un meneur d'hommes, qui doit faire régner l'ordre sur ses chantiers. En toutes circonstances, il agit avec méthode. Quand il pénètre dans la chambre, il commence par en faire le tour, se livrant à une inspection silencieuse ; après avoir pris cette vue d'ensemble, il « *vérifie de plus près l'état des murs, des portes, des serrures, il les touche de la main* ». Ensuite cet homme de l'art sort un ruban-mètre de sa poche et prend des mesures. Dès qu'il possède les données numériques nécessaires, il commence à repérer l'emplacement des meubles qu'on va apporter, et poursuit ses calculs à mi-voix : « — *Une... deux... trois... quatre...* » C'est un plan d'action précis qu'il dresse dans sa tête, et lorsque les déménageurs se présentent, il leur donne des ordres en connaissance de cause, encore qu'il hésite un peu au début, la pratique en général obligeant à modifier la théorie. Mais après les premières rectifications indispensables, il dirige l'opération avec une maîtrise exemplaire.

C'est l'histoire de la civilisation industrielle qui est retracée sous nos yeux. D'abord les déménageurs apportent, à intervalles assez espacés, des objets de petites dimensions, des tabourets et des vases. Or un des vases, quoique apparemment léger, est très difficile à déplacer. Les deux déménageurs conjuguent leurs efforts, ahanent et trébuchent, se frottent les bras et les reins, s'épongent le front. Sans doute s'agit-il d'une ficelle dramaturgique élémentaire, destinée à provoquer le rire par un effet de contraste. Toutefois, il n'est peut-être pas téméraire d'y voir aussi une signification allégorique ; au commencement de l'ère des machines, la production, peu abondante, exigeait de la part des hommes une dépense d'énergie douloureuse et disproportionnée.

Puis des objets de plus en plus grands et de plus en plus lourds sont apportés de plus en plus vite. Les déménageurs les manient avec moins de peine et même, à la fin, « *en se jouant et en jouant* ». On reconnaît le procédé d'accélération, déjà employé dans *Les Chaises* et *Amédée*. Mais cette fois il correspond à un fait objectif et historique : la production n'a cessé de s'accroître, tandis que la fatigue des hommes diminuait. Ingénieurs et savants ont trouvé dans l'Univers des forces qu'ils ont domestiquées. Les déménageurs n'ont plus à effectuer de transports pénibles ; on leur a même ôté le souci d'ouvrir la porte, car dès qu'ils s'en approchent, les battants s'écartent automatiquement, merveille que chacun peut admirer à l'aéroport d'Orly. Rien n'est impossible au progrès technique. La chambre du Monsieur est munie d'un « *plafond roulant* » qui s'ouvre et se ferme à volonté, et il suffit d'un battement de mains pour commander la manœuvre.

Les objets ne tardent pas à former écran entre l'homme et le monde extérieur. Cette conséquence n'est ni imprévue ni fatale ; elle est au contraire voulue par le Monsieur, qui ordonne de placer le buffet contre la fenêtre. Le premier déménageur s'étonne : « — *Vous n'aurez plus de lumière* » ; et le Monsieur flegmatique répond : « — *Il y a l'électricité.* » Il préfère donc un éclairage artificiel aux rayons du soleil. Pour boucher complètement l'ouverture, le second déménageur accroche au-dessus du meuble un tableau représentant un paysage d'hiver. Le Monsieur estime-t-il, comme Baudelaire, l'art supérieur à la nature ? C'est peu probable, car après avoir examiné la toile, il déclare : « — *J'aime pas... Retournez !* » On voit alors « *le dos du tableau, son cadre sombre, les ficelles* », à la grande satisfaction du Locataire : « — *C'est plus joli. Plus sobre.* » Les meubles continuent d'arriver, poussés « *par une force invisible* » et invincible. Le Monsieur, toujours impassible, se laisse emmurer. Les déménageurs ne pourront certainement pas quitter la pièce ; « — *C'est plein dans l'escalier* », constate l'un d'eux, sans manifester d'émotion. Le Monsieur renchérit : « — *Dans la cour aussi, c'est plein. Dans la rue aussi.* » Les voitures ne circulent plus, le métro s'est arrêté, la Seine a cessé de couler tant son lit est encombré. Les machines, après avoir été au service des hommes, les oppriment et les tuent.

Pourtant le Locataire accepte sans frémir la situation, où il découvre même un avantage : « — *Les voisins ne gêneront plus.* » Désormais, il règne dans la pièce, dans la ville et le monde entier un « *silence absolu* ». Lorsqu'on lui présente un poste de radio, le Monsieur esquisse un geste de refus ; toutefois, apprenant que l'appareil ne fonctionne pas, il se ravise : « — *Dans ce cas, oui. Ici.* » Ce Locataire aspire au calme. Or, comme toutes ces vastes casernes où s'entassent par force nos contemporains, l'immeuble dans lequel il habite était, avant l'invasion du mobilier, fort bruyant ; bribes de refrains, cris d'enfants, coups de marteaux concouraient au tintamarre. Ionesco connaît par expérience ce genre de désagréments, qui risque de compromettre l'équilibre nerveux :

La présence des gens m'était devenue insupportable. Horreur de les entendre ; pénible de leur parler ; atroce d'avoir affaire à eux ou de les sentir dans les parages. [...] Et leurs engins, leurs engins : gros camions, motocyclettes, moteurs de toutes sortes, appareils

électriques, ascenseurs, aspirateurs mêlés à leurs aspirations et leurs
expirations, c'était le comble... (*Notes*, 199)

Il est fatal que la vie dans une ruche bourdonnante engendre
la misanthropie : « *Mes contemporains m'agacent* », avoue le
dramaturge (*ibid.*, 208). C'est sans aucun doute le sentiment
qu'éprouve le Locataire, et ses contacts avec un certain type
d'humanité représenté par la concierge ne peut que confirmer
son goût de la solitude.

    La pipelette joue un rôle important dans la première partie
de la pièce et disparaît dès que l'on apporte les meubles. Elle
se livre à un bavardage intarissable où il serait vain d'essayer
de distinguer le vrai du faux. Elle commence, suivant l'usage,
par faire l'éloge des anciens locataires : « — *Ils me racontaient
tout*. [...] *Ils étaient bien gentils.* » Presque aussitôt elle se contre-
dit : « *Ils n'étaient pas aimables, et pas bavards.* » Son mari est
à la fois « *costaud* » et « *tuberculeux* » ; elle regrette de ne pas
avoir d'enfants et se flatte d'être une mère de famille respec-
table. On serait tenté de qualifier sa mauvaise foi d'impudente,
mais il se peut que *sa* vérité change au gré de ses humeurs.
Elle propose au nouveau Locataire de faire le ménage, et
comme celui-ci refuse, elle explose : « — *Ça, c'est trop fort !
C'est pourtant vous qui m'avez priée, c'est malheureux, j'ai pas
eu de témoin, je vous ai cru sur parole, je me suis laissée faire...
je suis trop bonne...* » Quand le Monsieur lui donne de l'argent
pour sa « *peine* », elle l'empoche, non sans vociférer des impré-
cations : « ... *Pour qui me prenez-vous !... Je ne suis pas une
mendiante...* » Ivre de sa propre colère, elle accuse le Monsieur
des pires noirceurs : « — *Ils vous proposent toutes sortes de choses
honteuses, pour de l'argent.* [...] *Vous avez voulu me prostituer...* »
Le nouveau Locataire est dans une certaine mesure excusable
de dresser un rempart entre lui et les autres.

    Quelle belle thèse de doctorat à écrire sur « La Concierge
dans la littérature française » ! Nul doute que l'histoire de ce
« personnage témoin » ne reflète l'évolution des rapports entre
les hommes. Il ne serait pas surprenant que les conclusions

fussent pessimistes. Voici une concierge du XIXe siècle, la mère Cibot, un monstre certes, mais qui par le fait même qu'elle a perdu son âme prouve qu'elle a eu une âme. Pour ses « *deux messieurs* », n'a-t-elle pas d'abord été « *une mère* » ? Balzac rappelle qu'elle « *se mit, par suite de son cœur de femme du peuple, à les protéger, à les adorer, à les servir avec un dévoue-ment véritable* », faisant des « *casse-noisettes* », contre la somme modique de quatre-vingt-dix francs par mois, « *des êtres invio-lables, des anges, des chérubins, des dieux* ». Ce paradis se change en enfer, lorsqu'elle apprend que le cousin Pons est riche. Elle tourmente le pauvre homme à l'agonie dans l'espoir de se faire coucher sur le testament, et peu à peu elle se laisse entraîner au vol et au crime. C'est la vue d'un trésor qui lui a fait perdre la tête. Ce n'était pas une méchante femme, bien au contraire ; si Pons n'avait été qu'un musicien sans fortune, comme elle l'avait longtemps cru, elle aurait continué à le soigner avec un dévouement un peu tracassier certes, mais sincère et sans doute efficace.

Au XXe siècle, les rapports entre concierges et locataires sont apparemment devenus moins affectifs. Une concierge de Ber-nanos, Mme de la Follette, se trouve dans la même situation que la Cibot, en face d'un célibataire *in articulo mortis*. Il existe cependant une différence capitale : l'abbé Chevance est pauvre, et la Follette ne peut en obtenir que le prix convenu de la pen-sion. Elle ne se prive pas au reste de le réclamer âprement. « *Dévorée d'une curiosité plus forte que la peur* », elle assiste à la terrible crise d'urémie qui terrasse son locataire (*L'Imposture*). Au lieu de tranquilliser le malade, elle prend plaisir à l'in-quiéter : « *... Vous filez un mauvais coton... De plus mauvaise mine, il n'y en a pas.* » Elle en arrive même à l'insulter. Avec douceur, le prêtre lui rappelle qu'offenser un homme qui souffre, c'est offenser Dieu : « *Vous avez été cruelle exprès, comprenez-vous ? C'est comme si vous aviez tué votre âme, pour en finir, d'un seul coup.* »

La Cibot était capable de faire le bien et le mal, et si en définitive elle s'abandonnait au mal, c'était à cause d'une tentation trop forte. Au contraire, la Follette ne peut faire que le mal, et elle le fait gratuitement. Quant à la concierge de Ionesco, elle fait du bruit, un bruit désagréable, et c'est tout. Dieu et Satan l'ont abandonnée, de même qu'ils ont abandonné le Monsieur, technicien sans âme qui cherche refuge parmi les objets inanimés, silencieux comme des sarcophages. « *Éteignez. Merci* », tels seront ses dernières paroles. La nuit éternelle tombe sur lui et sur nous. *Le Nouveau Locataire* ou la fin du monde... Non, il me reste assez d'espérance pour oser écrire : la fin *d'un* monde.

qui veut tirer sur moi ?

Il était une fois un gros Monsieur et un peintre famélique. Le peintre proposait une de ses toiles ; le Monsieur marchanda si bien qu'il l'obtint sans bourse délier, et alla même jusqu'à exiger de l'artiste une prime assez forte. Cet homme d'affaires vivait avec une sœur qu'il maltraitait en public mais qui, dans l'intimité, prenait sa revanche. Alice était laide comme la fée Carabosse ; or, un jour, elle devint belle, aussi belle que la Belle au bois dormant...

Ionesco aurait-il donc écrit à la fois une satire du régime capitaliste et un conte de fées ? *Le Tableau* n'est ni l'un ni l'autre, et s'il fallait absolument lui imposer une étiquette, je choisirais : « guignolade érotique ». Les personnages donnent des coups de bâton qui ne font pas de mal, prononcent des paroles qui n'ont pas de sens ; ils existent pourtant, car à défaut de cœur et de tête, ils possèdent un sexe, et quel sexe ! Le gros Monsieur est torturé par le désir, quoique ses pantalonnades, au début, cachent sa véritable obsession. Très mal élevé ce gros Monsieur. Il « *se cure les dents, les oreilles, les narines, avec les appareils appropriés : crayon, canif, coupe-papier, doigts* ». Gagné par l'imitation, le peintre éprouve à son tour l'envie d'effectuer un nettoyage méthodique ; il tente l'opération lorsque le Monsieur tourne incidemment la tête, mais sans cesse il est interrompu. De même, à plusieurs reprises on l'invite à s'asseoir ; chaque fois il remercie, et reste debout après avoir vainement cherché un siège des yeux. Ces actes manqués qui se répètent ponctuent le rythme de la première partie. Rythme vif et sautillant comme un film muet de la Belle Époque. A chaque instant les gestes, les attitudes changent et se contredisent. Le Monsieur, si content de lui, si fier de son pouvoir et de sa richesse, évoque soudain, avec des larmes dans la voix, sa jeunesse malheureuse : « ... *Mon père buvait beaucoup... Ma mère est morte... Vous ne vous imaginez pas ce que c'est, pour un garçon jeté dans la vie, dans la jungle...* » Fasciné par son interlocuteur, qu'il approuve et imite en tout, l'artiste verse une larme : « — *Si, Monsieur, j'imagine.* » Le capitaliste proteste en donnant un formidable coup de poing sur la table : « — *Non, mon cher Monsieur, non, vous ne pouvez pas vous imaginer...* » On passe ainsi sans transition de la violence à l'attendrissement, et de l'attendrissement à la violence. Ces variations dans les sentiments s'accompagnent de brusques changements dans les opinions. S'abandonnant aux confidences personnelles, le gros Monsieur se plaint de n'avoir pas trouvé l'âme-sœur :

LE GROS MONSIEUR. — ... Il est vrai que ce n'est pas facile.
LE PEINTRE. — Oh non, ce n'est pas facile ! On ne peut pas dire que c'est facile... puisque ça ne l'est pas !...
LE GROS MONSIEUR. — Mais est-ce vraiment impossible ?
LE PEINTRE. — Ce n'est peut-être pas vraiment impossible.
LE GROS MONSIEUR. — A vrai dire, c'est impossible !
LE PEINTRE. — Vous avez raison, c'est impossible !
LE GROS MONSIEUR. — Non. Ce n'est pas impossible.
LE PEINTRE. — Finalement, moi aussi, je le crois, ça ne l'est pas.

Ces contradictions et ces contrastes sont parfois voulus par le Monsieur, pour déconcerter son partenaire. Après avoir longuement analysé ses états d'âme, disserté sur les arts et la beauté, assuré le « *cher Maître* » de sa sincère amitié, changeant de ton, devenu « *homme d'affaires très dur* », le gros Monsieur dit à brûle-pourpoint : « — *Enfin, cartes sur table, combien me demandez-vous pour votre toile ?* » L'acheteur éventuel mène le jeu et se livre à de curieuses enchères à rebours. L'artiste demande d'abord 400.000 francs, puis ramène ses prétentions à 50.000 ; comme le Monsieur exige un nouveau rabais, il se drape dans sa dignité : « — *Dans ce cas, Monsieur, je m'excuse... Ce serait trop déprécier mon travail... Car, moi aussi, j'ai des principes...* » Le capitaliste réplique : « — *Au lieu d'avoir des principes, vous feriez mieux d'avoir des coups de pied au cul ! C'est préférable !* » Le peintre tient bon : « — *Je regrette, Monsieur. Au revoir, Monsieur ! Je reste avec mes principes et je refuse, je m'en excuse, les coups de pied au cul !...* » Mais le gros Monsieur l'empêche de sortir, lui réclame « *l'aumône de son génie* », en rappelant qu'un « *artiste n'est pas un commerçant* ». Le marchandage recommence :

LE GROS MONSIEUR. — Je veux tout de même faire quelque chose pour vous. Je vous offre 400...

LE PEINTRE. — 400.000 francs ? Ooh... mon bon Monsieur !

LE GROS MONSIEUR. — Ah ! ah ! (*Gros rire*). Vous plaisantez...

LE PEINTRE. — Heuh... si... non... oui... pourquoi pas ?

LE GROS MONSIEUR. — Je vous en offre 400 francs, pas un sou de plus, 400 francs en tout et pour tout.

LE PEINTRE, *soudainement ; après avoir calculé une seconde muettement.* — D'accord, c'est parfait comme cela.

Ainsi le peintre d'un coup renie ses nobles principes, capitule sans raison et sans conditions. D'ailleurs, loin de débourser les 400 francs, le Monsieur prendra la toile en « *location* », ayant l'audace d'exiger un fort loyer, que l'artiste, éperdu de reconnaissance, s'engagera à payer.

Ionesco nous plonge dans un monde ubuesque, où les chiffres, de même que les idées, ont perdu leur signification. A la fin de la pièce, le gros Monsieur réclame quarante millions au peintre. Sans manifester la moindre surprise, celui-ci regrette seulement de ne pouvoir s'acquitter sur-le-champ : « — *Je n'ai pas tout cet argent sur moi !* » Bon prince, le Monsieur accorde un crédit : « — *Vous paierez petit à petit... En quarante jours, un million par jour... et dix millions d'intérêt !* » Le peintre accepte ce marché : « — *Oui, Monsieur, c'est raisonnable !* » Le sens de la valeur et des valeurs a disparu. Tout

est mis sur le même plan, au point que, sans soulever de protestation, le gros Monsieur ravale une des plus nobles activités
de l'homme au rang d'occupations beaucoup moins honorables :
« *L'art, à sa manière, est une lutte pour la vie qui vaut les autres,
comme la guerre ou le commerce, la traite des blanches ou le marché
noir.* » Le peintre, malgré quelques tentatives de résistance,
n'est qu'un jouet entre les mains du gros Monsieur. En dépit
de ses changements d'humeur, de ses jongleries avec les chiffres
et les mots, ce dernier seul a de la « consistance », la consistance
que lui donnent le mépris d'autrui et l'absolue confiance en
soi. Comme le signale Ionesco, il est « *très Joseph Prudhomme
mêlé de Groucho* ». Or son dogmatisme et sa superbe, il va très
vite les perdre, dès qu'il se retrouvera seul avec Alice. En
présence du peintre, il ne se faisait pas faute de brusquer sa
sœur, au point que celle-ci se répandait en doléances : « *Il
n'est pas gentil, Monsieur, il est dur, il a toujours été ainsi !...* »
Or, après le départ de l'artiste, il se produit chez les deux
personnages un changement d'attitude « *instantané, très visible,
absurde* ». Le gros Monsieur devient de plus en plus humble,
craintif, voire puéril, alors que Alice se montre de plus en
plus grossière et violente. Elle traite son frère de « *paresseux,
vantard, hâbleur* », lui donne des coups de canne et lui tire
les oreilles. Toutefois ce contraste n'est pas, comme ceux qui
précèdent, purement mécanique. Alice est animée par une
passion à la fois profonde et justifiée, la jalousie, qui dégénère
en fureur ; au contraire, le gros Monsieur, envahi par un désir
érotique intense, éprouvant de surcroît un sentiment de culpabilité, baisse pavillon. Dès qu'elle a aperçu le tableau, qui
représente une femme très belle, Alice a tiré la langue. Quand
son frère, saisi d'admiration, s'écrie : « *C'est bien une reine* »,
elle ajoute entre ses dents : « *Des reines de trottoir... Dès qu'il
voit un téton, il perd la tête !* » Au début, elle parvient encore
à se maîtriser, colorant ses reproches de motifs avouables
sinon pertinents. Elle qualifie le tableau de « *vilain* », accuse
le Monsieur de l'avoir acheté par « *snobisme* », d'avoir perdu
un temps précieux « *avec tous ces marchandages* », et de se ruiner

avec des « *fantaisies de crétin* ». Quand elle s'aperçoit que son frère garde les yeux fixés sur la toile, elle explose : « *Regarde-la, cette femelle, cette putain, la moche, la dégoûtante... [...] Il lui faut des tableaux pornographiques à ce Monsieur !... Des beautés... des femmes nues. Voyez-vous ça.* » Dans son délire, considérant le portrait comme un être vivant, elle vocifère : « *... Je vais lui tordre le cou !* » Elle se plaint d'être victime d'une préférence injuste : « *... Tu vas passer... toute ta vie... à lui faire les yeux doux, des yeux de crapaud. Égoïste ! Au lieu de me soigner, de penser à moi, qui suis malade !* »

Un pareil comportement laisse supposer l'existence de relations incestueuses entre le frère et la sœur, ce qui ne laisse pas de créer un certain malaise dans le public. Or l'attitude du gros Monsieur devient de plus en plus choquante, et Ionesco la veut ainsi : « *Le comédien jouant ce rôle* — recommande-t-il — *doit être aussi érotique que le permet la censure ou que les spectateurs le supportent...* » Au commencement, le vieux célibataire ne manifeste qu'un goût esthétique et un légitime besoin de tendresse. Il regrette de ne pas avoir trouvé une femme qui le « *comprenne* », une femme « *réunissant toutes les qualités de l'âme et du corps psychosomatiquement* ». Il déplore que sa sœur ait été si peu favorisée par la nature : « *Le soir, en rentrant fatigué de la laideur de la vie, j'aimerais pouvoir contempler un beau visage, une silhouette gracieuse...* » Le tableau va lui permettre de fixer ses rêves voluptueux, comme les photos de stars qu'un adolescent tourmenté épingle sur les murs de sa chambre. Il s'absorbe dans la contemplation de cette reine de beauté, très habillée, mais dont les atours laissent imaginer des formes agréables ; son regard s'attarde sur « *la naissance des seins, les tétins étant soigneusement, je dirais même pudiquement, cachés sous un corsage de dentelle [...]. La valeur de suggestion est certaine, c'est indéniable. Pour les jambes de cette femme, on ne fait que deviner, par pure déduction logique, qu'elle en a* ». Lorsque l'artiste s'est retiré, le gros Monsieur croyant échapper à la surveillance d'Alice, « *caresse les bras* » de la femme peinte, il pose goulûment ses lèvres sur la toile, « *il se colle contre le tableau* » en poussant des « *ooh, oooh, aaah* », et murmure : « *Je t'adore* ». Sa sœur, qui l'observe, s'indigne avec raison : « — *Vicieux ! C'est honteux !* » Le gros Monsieur, transporté au septième ciel, ne risque plus de percevoir les criailleries humaines. Une volupté souveraine le fait vibrer jusqu'au plus intime de son être : « — *Je vais fondre, ah, ça y est, je fonds... Ooh...* » C'est probablement la première fois qu'un écrivain ose représenter, sur une scène publique, les joies de l'onanisme. Révoltée par un tel spectacle, Alice s'écrie : « *Chameau lubrique !* » tandis que son frère, en extase, soupire : « *Chérie... Ché-érie... Ché-é-é-rie !...* » Finalement, Alice se charge de venger la morale ; elle va chercher un seau d'eau dont elle jette le contenu sur les épaules du Monsieur : « *Voilà pour les amoureux !* » L'amoureux, qu'un réveil aussi brutal rend fou de colère, saisit un gros pistolet, tire... Mais le coup de feu, au lieu de donner la mort, produit une transformation aussi imprévue que agréable : « *Alice est décolletée, elle a exactement le buste de la femme du tableau. Dans son mouvement de frayeur, sa perruque blanche, ses lunettes sont tombées ; ses cheveux bruns apparaissent, ses yeux, sa figure sont exactement ceux de la femme peinte.* » S'agit-il d'une métamorphose gratuite, d'un miracle de théâtre destiné à provoquer chez les spectateurs une violente surprise ? Certes ! Toutefois il me semble que la scène érotique qui précède se continue... avec cette différence que l'allégorie voile la réalité brutale. Le coup de pistolet est un symbole banal, couramment utilisé dans les plaisanteries obscènes et appartenant du reste à l'imagerie des rêves. En outre, le désir sexuel pare de beauté et de charme l'être qui l'excite ; dans le lit d'un souillon, le poète latin se figurait, l'obscurité aidant, qu'il couchait avec Vénus. Mais cette illusion projetée sur *l'Autre* ne peut se réfléchir sur *Soi*. Le gros Monsieur possède le pouvoir de changer un laideron en princesse des Mille et une Nuits ; cependant il a beau tirer sur lui-même, il ne s'embellit pas. Ainsi Chateaubriand, après avoir caressé la Sylphide, n'était qu'un pauvre petit Breton, sans prestige et sans grâce. Le gros Monsieur constate avec tristesse : « — *Aah, et moi ! Et moi ?...*

Oh... je suis toujours pas beau ! » Et tendant le pistolet au public :
« *Voulez-vous tirer sur moi ? Qui veut tirer sur moi ? Qui veut*
tirer sur moi ! ? » Il paraît que lors de la représentation de cette
pièce en Allemagne, quelques spectateurs se sont écriés : « *Ich !*
Ich ! » Tirer sur le pianiste... Avec les goûts qu'on lui connaît,
Oscar Wilde aurait-il eu envie de tirer sur le gros Monsieur ?

que peut-on faire... que peut-on faire...

Tueur sans gages diffère notablement des précédentes comédies. L'auteur reconnaît d'ailleurs qu'il a fait certaines concessions, que cette pièce est « *un peu moins purement théâtrale, et un peu plus littéraire que les autres* » (*Notes*, 102). Les tirades, il est vrai, se sont allongées, les discours abondent, la rhétorique tend à devenir indiscrète. En outre, les procédés sont parfois appuyés et il en résulte un alourdissement de l'ensemble. Malgré ses défauts évidents, *Tueur sans gages* mérite d'être étudié de près, car dans cette tragi-comédie, plus peut-être que dans le reste de son œuvre, Ionesco apporte « *un témoignage personnel, affectif, de son angoisse et de l'angoisse des autres* », il y exprime « *ses sentiments, tragiques et comiques, sur la vie* » (*Notes*, 72).

Il a repris le thème qu'il avait déjà illustré dans un court récit publié par la *N.R.F.* sous le titre « La Photo du Colonel ». La nouvelle est écrite à la première personne. Le narrateur est allé visiter en compagnie de l'architecte municipal le beau quartier de la ville, où il a admiré non seulement les hôtels particuliers et les avenues, mais encore la végétation plus luxuriante et le ciel plus lumineux que partout ailleurs. Il s'étonne toutefois de ne rencontrer personne dans les rues ; les fenêtres sont fermées, le silence règne. L'architecte lui révèle alors que les habitants restent cachés dans leurs appartements, paralysés par la terreur. S'ils osent s'aventurer hors de chez eux, ils courent un risque mortel. Le narrateur, atterré, demande des explications. Son guide le conduit près d'un bassin magnifique, situé au centre d'un parc de gazon. « *C'est là, dit-il, là-dedans, qu'on en trouve, tous les jours, deux ou trois noyés.* » En effet, on aperçoit, flottant sur l'eau, le corps d'un officier du génie, gonflé, celui d'une femme rousse, et celui d'un garçonnet de cinq ou six ans, roulé dans son cerceau et tenant dans sa main crispée un bâtonnet. « *Qui a fait ça ?* » « — *L'assassin,* » répond l'architecte, « *toujours le même personnage. Insaisissable.* » Le visiteur quitte en hâte le beau quartier, bien qu'il ne coure aucun danger en compagnie de l'architecte de la ville, l'assassin ne s'attaquant pas à l'administration. Les voici sortis de la zone périlleuse ; il fait froid, le ciel est sombre, il pleut. L'architecte, qui est aussi commissaire de police, invite son compagnon à entrer dans un café ; tout en buvant un verre de bière, il donne quelques détails sur le Tueur. Déguisé en mendiant, il demande la charité, simple prétexte pour une « *entrée en matière* ». Il propose ensuite de menus objets qu'il sort de son panier, fleurs artificielles, ciseaux, miniatures obscènes, n'importe quoi. Insensiblement il entraîne la bonne âme vers le bassin ; alors il recourt au grand moyen : « *il offre de lui montrer la photo du colonel* », c'est irrésistible. Tandis que la bonne âme se penche pour mieux voir, il la pousse dans le bassin où elle se noie. Le « truc », toujours le même, réussit à chaque fois.

Le narrateur s'étonne qu'on ne poste pas, au point critique, un inspecteur en civil. Le commissaire explique que cette mesure, déjà essayée, s'est révélée inefficace, les policiers tombant dans le piège eux aussi. Le narrateur se sépare enfin de son guide bénévole et rentre chez lui, où il trouve son ami Édouard, un tuberculeux gravement atteint, « *tout mince, la figure pâle et triste, les yeux ardents* ». Il commence à lui raconter les faits bouleversants qu'il vient d'apprendre, mais Édouard l'interrompt aussitôt, car il connaît depuis longtemps l'existence du Tueur ; cependant il ne s'en est jamais beaucoup ému. Le narrateur est dans son for intérieur choqué d'une telle indifférence. Sur ces entrefaites, Édouard, qui se disposait à sortir, laisse par maladresse tomber sa serviette d'où s'échappent des centaines de photos représentant un colonel moustachu, en grand uniforme. Le narrateur, stupéfait, prie son ami de vider sa serviette ; la table est bientôt couverte « *de fleurs artificielles, d'images obscènes, de bonbons, de tirelires, de montres d'enfant, d'épingles, de porte-plume, de boîtes en carton...* » Édouard, rouge de honte, ne s'explique pas la présence des objets du monstre dans sa serviette ; il continue de fouiller, et découvre des cartes de visite « *avec le nom, l'adresse du criminel, sa carte d'identité avec photo, des fiches avec les noms de toutes les victimes, un journal intime avec ses aveux détaillés, ses projets, son plan d'action minutieux, sa déclaration de foi, sa doctrine* ». Édouard se rappelle que l'assassin lui avait envoyé jadis ces documents, en le priant de les publier dans une revue littéraire ; c'était avant les crimes, et Édouard avait « *complètement perdu cela de vue* ». Non sans lui reprocher sa négligence, le narrateur l'engage à l'accompagner à la Préfecture de police afin d'y déposer les pièces à conviction. Ils se mettent en route, au pas de course. Soudain, le narrateur s'aperçoit que son camarade n'a pas sa serviette. L'étourdi ! il l'a oubliée à la maison. Édouard retourne la chercher, tandis que le narrateur poursuit seul son chemin. Les rues sont encombrées de gros camions militaires ; des agents d'une taille gigantesque entreprennent de réduire l'embouteillage, en donnant des coups de sifflet à tort et à travers, en faisant de grands gestes inutiles, en insultant les passants. Le narrateur parvient enfin à se frayer une voie à travers ce chaos. Bientôt, il se retrouve sur une route déserte. Il avance, le cœur serré d'angoisse. Brusquement le Tueur surgit devant lui. Brandissant un couteau, il regarde sa victime « *de son œil unique, glacial, de la même matière, du même éclat que le tranchant de son arme* ». Le narrateur braque en silence ses deux pistolets, mais aussitôt il laisse tomber ses bras le long du corps : « *... car que peuvent les balles, aussi bien que ma faible force, contre la haine froide, et l'obstination, contre l'énergie infinie de cette cruauté absolue, sans raison, sans merci ?* »

« La Photo du Colonel » a évidemment une signification symbolique ; mais avant d'essayer de la préciser, il convient d'examiner comment Ionesco a transformé cette nouvelle en pièce de théâtre.

Le récit se divise nettement en trois parties ; on pourrait intituler la première : « Un quartier beau et triste » ; la seconde : « Édouard vide sa serviette » ; la troisième : « Le Tueur ». La première partie se situe naturellement dans l'endroit indiqué par son titre ; la seconde a pour cadre l'appartement du narrateur ; la troisième se passe dans les rues de la ville, d'abord encombrées, ensuite désertes. Or ces trois moments du récit correspondent exactement aux trois actes du drame. De plus, certaines répliques de la nouvelle se retrouvent dans la pièce, mais il est rare qu'elles aient été transportées littéralement. Ionesco les a en général transposées d'une manière ingénieuse. Citons quelques exemples. Dans « La Photo du Colonel », le narrateur disait à l'architecte : « *Ici, je remarque, les feuilles des arbres ont déjà poussé, suffisamment pour laisser filtrer la lumière, pas trop pour ne pas assombrir les façades, alors que, dans tout le reste de la ville, le ciel est gris comme les cheveux d'une vieille femme, et qu'il y a encore de la neige durcie au bord des trottoirs, qu'il y vente.* » Dans *Tueur sans gages*, Bérenger déclare à l'Architecte : « *Les feuilles des arbres sont assez grandes pour laisser filtrer la lumière, pas trop pour ne pas assombrir les façades. C'est tout de même étonnant quand on pense que dans tout le reste de la ville le ciel est gris comme les cheveux d'une vieille femme, qu'il y a de la neige sale au bord des trottoirs, qu'il y vente.* » Le rythme est légèrement différent ; ainsi, dans la pièce, Ionesco a scindé la phrase, supprimé une coordination afin que la réplique soit plus proche du style parlé. Notons encore des modifications de détail : « *la neige durcie* » devient « *la neige sale* », pour enlaidir davantage le bas-quartier. En revanche, le confort du quartier résidentiel se raffine. Le narrateur disait : « ... *Les feuilles des arbres ont déjà poussé, suffisamment pour laisser filtrer la lumière...* », ce qui risquait de laisser croire qu'à d'autres époques de l'année, les feuilles étaient trop petites ou trop grandes. Aussi Bérenger a-t-il soin de préciser : « *Les feuilles des arbres sont assez grandes pour...* » ; on en conclut que la dimension idéale des feuilles et, bien entendu, les feuilles elles-mêmes, sont permanentes, éternelles comme les autres privilèges réservés à la cité radieuse.

Dans la pièce, les répliques sont plus nerveuses et plus précises que dans le récit, parfois plus imagées, plus poétiques. Le narrateur, remarquant la température clémente dont jouit le beau quartier, demandait tout uniment : « *Est-ce qu'il y a des courants chauds et lumineux, venant d'en bas ou d'en haut ?* » Bérenger s'exprime avec plus de lyrisme : « *Est-ce qu'il y a des courants chauds et lumineux venant d'un cinquième point cardinal ou d'une troisième hauteur ?* » D'autre part, Ionesco a dû traduire en dialogues ce qui était à l'origine un récit. Il s'est acquitté de cette tâche avec une aisance parfaite et une grande économie de moyens. Voici, par exemple, un passage de « La Photo du Colonel », qui a été ensuite adapté dans *Tueur sans gages.* Un policier s'efforce de régler la circulation :

Chapeau bas, petit, modestement vêtu, un monsieur aux cheveux blancs, paraissant plus petit encore aux côtés de l'agent, lui demanda, très, trop poliment, avec humilité, un modeste renseignement. Sans s'interrompre dans ses signaux, le flic, d'un ton rogue, donna une réponse brève au retraité (qui eût pu, cependant, être son père, étant donné la différence d'âge, sinon celle de la taille, qui ne jouait pas en faveur du vieillard). Celui-ci, sourd, ou n'ayant peut-être pas compris, répéta sa question. Le flic l'envoya promener d'un mot rude, tourna la tête, continua son travail, siffla.

Cet épisode est dialogué dans la pièce de la façon suivante :

Le Vieillard *à Bérenger.* — Pourriez-vous me dire [...] où se trouve le quai du Danube ? [...]
Bérenger. — Je ne sais pas, Monsieur, excusez-moi. [...] Il faut demander, il faut demander à un agent ! [...]
Le Vieillard, *timidement au Deuxième Agent.* — Monsieur l'Agent ! Monsieur l'Agent ! [...]
Le Premier Agent. — Circulez, circulez.
Bérenger. — C'est terrible. Quel embouteillage. Jamais, jamais je n'arriverai. [...]

Le Vieillard, *au Deuxième Agent*. — Excusez-moi, Monsieur
l'Agent.

Bérenger, *au Premier Agent*. — Mais dépêchez-vous, j'ai besoin
de passer. Il s'agit d'une mission très importante, salutaire.

Le Premier Agent. — Circulez !

Le Vieux Monsieur, *au Deuxième Agent*. — Monsieur l'Agent...
(*A Bérenger*) Il ne répond pas. Il est très occupé.

Bérenger. — Ah, ces camions qui ne démarrent plus. [...]

Le dialogue continue dans le vacarme. Finalement, le Deuxième
Agent s'écrie d'une voix tonnante : « — *A gauche ! A droite !
Tout droit ! En arrière ! En avant !* » Sa réponse s'adresse à la
fois au vieux monsieur, au premier agent, et aux chauffeurs
des camions ; cela déclenche, de la part de tout le monde, un
mouvement général désordonné et comique. Le vieux monsieur fait un mouvement pour aller vers la gauche, puis vers
la droite, puis tout droit, en arrière, en avant. Ensuite il revient
vers le deuxième agent :

— Excusez-moi, Monsieur l'Agent, excusez-moi, j'ai l'oreille un
peu dure. Je n'ai pas très bien compris la direction que vous m'avez
indiquée... Où se trouve le quai du Danube, s'il vous plaît ?...

Le Deuxième Agent, *au Vieux Monsieur*. — Vous vous payez
ma tête ! Non, mais, des fois... [...] Allez... Ouste... Si vous êtes
sourd, ou si vous êtes idiot... foutez-moi le camp !

Bien que j'aie fait de nombreuses coupures, il est possible,
sans doute, d'apprécier l'originalité de ce dialogue. Dans « La
Photo », l'épisode était très bref, et rattaché à l'action par un fil
ténu. Ici, Ionesco a eu l'heureuse idée de faire intervenir
Bérenger dans la conversation. Et surtout la scène est admi-
rablement orchestrée, avec un concert de klaxons, de sifflets,
de pétarades mécaniques et de vociférations humaines. Le vieux
monsieur est désemparé dans ce pandémonium ; Bérenger, qui
a ses propres préoccupations, voudrait bien lui venir en aide,
mais il ne le peut pas. Ce n'est peut-être pas forcer l'interprétation que de voir dans cette scène une image de l'isole-
ment brutal auquel la civilisation moderne condamne les faibles.

Ce qui caractérise cet épisode, c'est, outre l'intensité des bruits, l'abondance des mouvements. *Tueur sans gages* est, si je puis m'exprimer ainsi, une traduction visuelle et auditive de « La Photo du Colonel ». Au premier acte, d'après les indications de l'auteur, l'ambiance est donnée

uniquement par la lumière. Au début, pendant que la scène est encore vide, la lumière est grise comme celle d'un jour de novembre [...]. Bruit léger du vent. [...] Dans le lointain, bruit d'un tramway, silhouettes confuses des maisons qui s'évanouissent lorsque soudain la scène s'éclaire fortement : c'est une lumière très forte, très blanche ; il y a cette lumière blanche, il y a aussi le bleu du ciel éclatant et dense

formant contraste avec la grisaille précédente. Plus de bruits, le spectateur ressent une impression de calme étrange et se trouve bien préparé pour pénétrer à la suite de Bérenger dans la cité radieuse. C'est un décor aérien, pour ainsi dire, transparent, tout de lumière. En revanche, à l'acte III, lorsque Bérenger marche seul sur la route où le Tueur l'attend, des murs parfois surgissent à droite et à gauche, se rapprochant en couloir, afin de donner l'impression que le personnage « *va être pris dans un guet-apens* ». La lumière ne change pas ; « *c'est le crépuscule, avec un soleil roux* ». Le temps s'est arrêté : « *c'est un crépuscule figé.* »

Tout est mis en œuvre pour que les crimes du Tueur frappent l'imagination des spectateurs, et cela dès l'acte Ier. Non que l'on assiste à des scènes sanglantes ; Ionesco emploie des procédés plus subtils. Ainsi Bérenger arpente le beau quartier en compagnie de l'architecte. Soudain une pierre tombe entre les deux promeneurs. On devine le désarroi de Bérenger. Quelques instants plus tard, on entend un bruit de vitres cassées ; le pauvre homme est à peine remis de ses émotions qu'un coup de feu le fait sursauter. A la fin de la scène, « *un cri se fait entendre, ainsi que le bruit sourd d'un corps tombant dans l'eau* ». Des coulisses proviennent « *des voix agitées [...], des bruits de pas, le bruit d'un car de police qui freine brusquement* ». La menace est partout, l'atmosphère devient irrespirable.

Le bruitage et les jeux de lumière sont également utilisés à d'autres fins. Ils servent à la fois à donner du mouvement et à faire naître l'insolite. Lorsque Bérenger et son guide quittent le beau quartier, le changement d'éclairage rend sensible leur déplacement ; la lumière baisse, « *des enseignes et des réclames lumineuses* », dont celle d'un café, apparaissent graduellement, tandis que l'on perçoit dans le lointain le bruit d'un tramway. L'architecte, invitant Bérenger à se restaurer, fait un geste pour pousser la porte du café ; si nous ne voyons guère cette porte, toutefois, d'après les indications de l'auteur, nous l'entendons s'ouvrir.

La mise en scène est constamment ingénieuse. Le décor du second acte représente la chambre de Bérenger, et lorsque le rideau se lève la pièce est plongée dans une obscurité presque complète. Une seule source de lumière : la fenêtre, située au centre du mur du fond. Pendant toute la première partie de l'acte, aucun personnage ne se manifeste sur le plateau. Devant la fenêtre apparaissent de temps en temps les ombres dérisoires ou grotesques des passants ; la concierge colle contre le carreau son visage naturellement hideux et qui « *s'enlaidit encore davantage, par l'aplatissement du nez contre la vitre* ». Ce procédé permet donc les déformations caricaturales. Ionesco a du reste voulu mettre en relief ce qu'il y a d'odieux ou d'absurde dans la vie quotidienne. Si le plateau est vide de personnages, il est au contraire, pour ainsi dire, rempli de bruits : « *On entend des coups de marteau venant de l'étage supérieur, un poste de T.S.F. en marche, des bruits, tantôt se rapprochant, tantôt s'éloignant, de camions et de motocyclettes* [...] ; *il s'agit... d'un enlaidissement mi-désagréable, mi-comique du vacarme.* » L'inconvénient majeur de la civilisation moderne est donc souligné, comme dans *Le Nouveau Locataire*. Au milieu du tintamarre, on distingue les voix de la concierge, des habitants de l'immeuble, et des passants ; les propos échangés n'en paraissent que plus stupides. Néanmoins, l'ensemble ne laisse pas d'être amusant, car Ionesco y trouve la matière de différents sketches, où il utilise le comique de cabaret et de music-hall, qui est un des éléments essentiels du nouveau théâtre.

Comme une pointe de grivoiserie est toujours bien accueillie, on entend quelqu'un demander si Mlle Colombine, concubine de M. Polisson (ou Pelisson) habite au numéro 13 de la rue de la Douzaine. D'autre part, les autorités, les « chefs » étant volontiers ridiculisés, la voix d'un président-directeur général propose de planifier les besoins naturels des employés : « *Nos cinquante-huit garçons livreurs perdent trop de temps quand ils vont uriner. [...] Ce temps n'est pas déduit de leurs salaires. Ils en profitent, il faut les discipliner : qu'ils fassent pipi une seule fois par mois, à tour de rôle, pendant quatre heures et demie sans interruption.* » Enfin, on relève des allusions plus ou moins fines à des personnalités connues ; quelqu'un se plaint, par exemple, de l'attitude d'un Monsieur qui est à la fois critique littéraire et dignitaire de l'Église : « *Morvan, l'évêque, l'évêque du Morvan* ».

Appartient aussi au music-hall la scène de la serviette. Bérenger, fouillant la serviette d'Édouard, en sort « *comme des sacs sans fond des prestidigitateurs, toutes sortes d'objets en quantités invraisemblables, se répandant sur toute la surface de la table, tombant aussi, en partie, sur le plancher* ». Il trouve une boîte en carton, il l'ouvre, il y trouve une seconde boîte ; de cette seconde boîte, il tire une troisième boîte, et ainsi de suite à l'infini. Édouard se met de la partie, et sort, on ne sait d'où, « *une boîte plate, qui prend la forme d'un cube au moment où on la montre* ». C'est un tour classique, que présentent les music-halls et les cirques qui se respectent. Tels sont les éléments spectaculaires de *Tueur sans gages*, tantôt insolites, tantôt comiques, parfois insolites et comiques, en général efficaces.

*

Ionesco a introduit dans la pièce deux personnages importants dont il n'était même pas fait mention dans « La Photo » : ce sont Dany et la mère Pipe, une jeune femme charmante et une horrible mégère. Le rôle de Dany, secrétaire de l'architecte, est capital au double point de vue dramaturgique et psy-

chologique. Dany se manifeste d'abord par téléphone, alors
que Bérenger et l'Architecte sont en conversation. L'un raconte
un moment privilégié de son existence, où il s'est senti envahi
par la joie ; l'autre écoute d'une oreille distraite, car il est
furieux contre sa secrétaire qui est en retard. La sonnerie du
téléphone retentit... Bérenger, perdu dans ses rêves, continue
ses confidences :

> Tout était vierge, purifié, retrouvé, je ressentais à la fois un éton-
> nement sans nom, mêlé à un sentiment d'extrême familiarité.
>
> L'ARCHITECTE, *au téléphone*. — Qu'est-ce que cela veut dire, Made-
> moiselle ?
>
> BÉRENGER. — C'est bien cela, me disais-je, c'est bien cela... Je
> ne puis vous expliquer ce que « cela » voulait dire, mais, je vous
> assure, Monsieur l'Architecte, je me comprenais très bien.
>
> L'ARCHITECTE, *au téléphone*. — Je ne vous comprends pas, Made-
> moiselle. Vous n'avez aucune raison de vous plaindre de nous. Ce
> serait plutôt le contraire.
>
> BÉRENGER. — Je me sentais là, aux portes de l'univers, au centre
> de l'univers... Cela doit vous paraître contradictoire !

Il y a un contraste violent entre l'exaltation lyrique de l'un,
et les préoccupations terre à terre, l'irritation de l'autre. Aucune
communication ne peut s'établir entre les deux hommes.
Bérenger, plongé dans un état second, entend vaguement certains mots prononcés par son interlocuteur, et il les intègre
immédiatement à son rêve.

Enfin Dany paraît. Bérenger a le coup de foudre, et lui adresse
une déclaration enflammée, tandis qu'elle échange des paroles
aigres avec son patron. Il forme des projets matrimoniaux qui
ne se réaliseront jamais, puisque la jeune femme sera à son tour
victime du Tueur. Désespéré, l'amoureux n'en cherchera qu'avec
plus d'ardeur à démasquer le monstre ; ce sera pour lui une
question de vengeance personnelle. Son comportement est donc
plus fortement motivé que dans « La Photo du Colonel ».

Si Ionesco a eu raison d'introduire le personnage de Dany
qui rend l'action plus cohérente et plus pathétique, le rôle de
la mère Pipe est en revanche discutable. En route pour la Préfecture de police, Édouard et Bérenger tombent au milieu d'une

réunion électorale. « *Une grosse bonne femme qui ressemble à la concierge du premier acte* » s'adresse à une foule invisible : on aperçoit seulement deux ou trois drapeaux verts portant une oie blanche au centre. Le discours d'usage est prononcé : « *Peuple, Moi, la mère Pipe, qui élève des oies publiques, j'ai une longue expérience de la vie politique. Confiez-moi le chariot de l'État que je vais diriger et qui sera traîné par mes oies. Votez pour moi. Faites-moi confiance.* » Ce sont les lieux communs de ce genre d'éloquence, dont Ionesco rend évidente l'hypocrisie. Un membre de l'assistance se permet une objection. « *Discutons librement* », lui dit, pleine d'aménité, la mère Pipe. Sur ces bonnes paroles, elle assomme l'opposant, en appelant ses oies à la rescousse. On sait depuis longtemps que la raison du plus fort est toujours la meilleure. La satire de Ionesco vise les hommes politiques en général, mais plus précisément ceux qui se réclament de l'extrême-gauche. La mère Pipe emploie leur vocabulaire, lorsqu'elle promet de « *démystifier* » le peuple et de « *désaliéner* » l'humanité. Les allusions de l'auteur sont transparentes, sa prise de position particulièrement nette, quand il fait dire à la mégère :

Nous n'allons plus persécuter, mais nous punirons et nous ferons justice. Nous ne coloniserons pas les peuples, nous les occuperons pour les libérer. Nous n'exploiterons pas les hommes, nous les ferons produire. Le travail obligatoire s'appellera travail volontaire. La guerre s'appellera la paix, et tout sera changé, grâce à moi et à mes oies. [...] La tyrannie restaurée s'appellera discipline et liberté. Le malheur de tous les hommes, c'est le bonheur de l'humanité !

Ionesco dénonce sans se lasser cette crise du langage « *le plus souvent artificielle, volontaire* » ; dans la préface de *Notes et contre-notes*, il déclare : « *La propagande a bouleversé consciemment la signification des mots pour jeter le trouble dans les esprits. C'est une méthode de guerre moderne. Lorsqu'on dit que le blanc est noir et le noir est blanc, il est en effet bien difficile de s'y retrouver.* » (p. VIII). Anti-communiste, certes, Ionesco ne se cache pas de l'être. Mais toutes les politiques et toutes les religions éveillent sa méfiance, car elles ne sont à ses yeux que « *les alibis, les masques, les prétextes de cette volonté de meurtre, de l'instinct destructeur, d'une agressivité fondamentale, de la haine profonde que l'homme a de l'homme* » (*Notes*, 138). Telle est son « anti-doctrine ». Quant à sa doctrine, il charge le contradicteur de la mère Pipe de la définir : « *La science et l'art ont fait beaucoup plus pour changer la mentalité que la politique. La révolution véritable se fait dans les laboratoires des savants, dans les ateliers des artistes. Einstein, Breton, Kandinski, Picasso, Pavlov, voilà les authentiques rénovateurs.* » En somme, Ionesco considère les idéologues comme des malfaiteurs, tandis que les artistes et les savants lui apparaissent comme des bienfaiteurs de l'humanité. Nous ne lui dénierons pas le droit d'exprimer ses opinions, mais nous regretterons qu'il le fasse dans une pièce de théâtre, lui qui a si souvent et si justement critiqué les pièces à thèse. Il est vrai qu'il a le bon sens de ne pas se prendre au sérieux ; dans *Tueur sans gages*, c'est à un ivrogne titubant qu'il a confié le soin de défendre ses idées. Il a du reste conscience de donner parfois dans les défauts qu'il reproche à ses adversaires, et il s'est moqué agréablement de lui-même dans *L'Impromptu de l'Alma*. Ionesco se met en scène, aux prises avec trois critiques habillés comme les médecins de Molière, et qui veulent de force lui imposer leurs esthétiques personnelles. Le dramaturge résiste, et, après leur avoir avec peine imposé silence, il se lance dans l'exposé de ses principes. Au fur et à mesure qu'il parle, il prend un ton de plus en plus dogmatique et pédant, si bien que les critiques le raillent : « — *Vous vous prenez donc au sérieux, Ionesco ?...* — *Vous devenez académique à votre tour !...* — *Vous détestez qu'on vous donne des leçons et vous-même vous voulez nous en donner une...* » Ionesco de bonne foi confesse sa faute, et, contrit, promet qu'il ne le fera plus.

L'épisode de la mère Pipe est la partie faible de *Tueur*. Ce qui la rachète largement, ce sont les thèmes éternels que Ionesco a magnifiquement illustrés. En écoutant la mère Pipe, Édouard le tuberculeux s'écrie : « — *Nous allons tous mourir. C'est la seule aliénation sérieuse !* » Dans une de ses *Notes*, Ionesco a fait cette extraordinaire confidence : « *J'ai toujours été obsédé par la mort. Depuis l'âge de quatre ans, depuis que j'ai su que j'allais mourir, l'angoisse ne m'a plus quitté. C'est comme si j'avais compris tout d'un coup qu'il n'y avait rien à faire pour y échapper et qu'il n'y avait plus rien à faire dans la vie. [...] J'écris... pour crier ma peur de mourir, mon humiliation de mourir.* » (p. 204). Le thème de la mort est en effet au centre de la pièce. Tous les habitants de la cité radieuse sont condamnés à disparaître, à plus ou moins bref délai, comme chacun d'entre nous, du reste. Ils représentent l'humanité, et le Tueur représente la Mort inexorable. Mais le symbole a une autre valeur.

Les habitants du beau quartier ne meurent pas de maladie ou de vieillesse ; ils sont tous victimes d'un assassinat. L'image de la mort est étroitement liée à celle de la brutalité, cruelle et absurde. L'assassin incarne cet instinct d'agressivité qui si souvent se manifeste, non seulement dans les conflits armés mais encore dans la vie quotidienne. Ce qui frappe également, c'est cette complicité générale dont bénéficient les agresseurs. Édouard a dans sa serviette toutes les preuves qui permettraient de mettre le monstre hors d'état de nuire. Or l'idée ne semble même pas l'avoir effleuré de les déposer entre les mains de qui de droit. D'après Ionesco, « *nous ne pouvons être, à la fois, que des assassins et des assassinés, fonctionnaires et administrés naturels, instruments et victimes de la mort triomphante...* » (*Notes*, 140).

Les victimes sont responsables de leur malheur. On les a prévenues, et pourtant elles s'obstinent à vouloir regarder la photo du colonel. Ionesco veut-il dire que la curiosité cause la perte des hommes ? Je ne crois pas que cette interprétation puisse être retenue. Le symbole, nous le trouvons plutôt dans l'objet de leur curiosité. Le colonel représente à la fois l'autorité et la guerre ; or ce qui cause la perte des hommes, d'après Ionesco, c'est qu'ils sont attirés par les armes et qu'ils sont toujours prêts à abdiquer leur liberté entre les mains d'un chef. D'une manière générale, ils sont incapables de s'opposer à la violence. L'attitude de Bérenger est significative à cet égard.

Dans la pièce, ce personnage est beaucoup plus bavard, naïf et enthousiaste que dans la nouvelle. Quand il arrive dans le beau quartier, il pousse des cris d'admiration : « ... *Inouï ! Inouï ! C'est extraordinaire ! Pour moi cela tient du miracle* [...]. *C'est merveilleux, merveilleux, merveilleux !... Vraiment !...* » Sa culture ne semble pas très vaste. S'arrêtant devant un hôtel particulier, il s'extasie : « — *Oh, la jolie maison ! La façade est exquise, j'admire la pureté de ce style ! Du XVIII*e ? *Non, du XV*e *ou fin XIX*e ? *En tout cas, c'est classique et surtout, que c'est coquet, que c'est coquet...* » Et pourtant ce badaud ridicule connaît des états d'âmes étranges, qu'il analyse avec beaucoup de pertinence. Il lui est arrivé, cinq ou six fois dans sa vie, de ressentir, sans raison, une joie immense, qui a été suivie d'une longue, interminable dépression. En faisant cette confidence, Bérenger parle au nom de son créateur, qui a l'expérience d'une semblable contradiction psychologique (cf. *supra*, chapitre 5). Le décor imaginé par Ionesco traduit de façon saisissante ces deux états de conscience. Si le décor aérien, tout de lumière du premier acte correspond à l'état d'allégresse, le décor lourd et laid de l'acte II correspond à l'état de dépression. Ionesco attire du reste notre attention, à plusieurs reprises, sur la signification du cadre. Bérenger, évoquant ses périodes d'euphorie, dit à l'architecte : « *Le ciel était aussi pur que celui dont vous avez su recouvrir votre radieuse cité...* » Et un peu plus loin : « *Cette lumière est aussi en vous, c'est la même, c'est la mienne puisque vous l'avez, de toute évidence, recréée, matérialisée. Ce quartier radieux, il a bien jailli de vous... Vous me l'avez rendue ma lumière oubliée... ou presque* ». C'est le cas de dire qu'un paysage est un état d'âme.

Dans « La Photo du Colonel », Bérenger n'adresse pas la parole au Tueur, estimant avec raison que c'est inutile. En revanche, dans la pièce, il prononce un très long discours, trop long, qui est une plaidoirie et une profession de foi. Bérenger est un humaniste ; au lieu de lutter contre le monstre, il lui demande des explications, il veut comprendre les motifs profonds de son comportement. L'assassin est-il un philosophe pessimiste ?

A-t-il l'intention de détruire un monde condamné au malheur ?
Veut-il anéantir l'espèce humaine par haine ? Ou au contraire
par bonté, pour l'empêcher de souffrir ? Ne cessera-t-il pas de
tuer, pour l'amour du Christ, ou tout simplement par intérêt,
ou encore pour avoir le plaisir d'accomplir un acte gratuit ?
A toutes les questions et propositions du philanthrope, le
Tueur répond par un ricanement ou un haussement d'épaules.
A la fin, il sort de sa poche un couteau dont la grande lame
brille. Bérenger brandit ses pistolets, mais au lieu de tirer, il
baisse lentement ses armes, démodées comme les lieux communs qu'il vient de développer ; tombant à genoux, il bal-
butie : « *Mon Dieu, on ne peut rien faire !... Que peut-on faire...
Que peut-on faire...* » L'assassin s'approche de lui...

Le héros s'avoue donc vaincu. Si le dénouement est sombre,
il n'est toutefois que provisoire. Au chapitre suivant, nous
retrouverons Bérenger sain et sauf, ayant découvert sa voie et
refusant de capituler devant les bêtes féroces qui envahissent
la cité des hommes.

je ne capitule pas !

E<small>N</small> 1938, à Nuremberg, une foule immense attendait Hitler. Les drapeaux claquaient au vent, fiers de leurs bottes des S.S. paradaient, emplissant l'air de cris sauvages. Tout à coup « *on vit apparaître, tout au bout d'une avenue et tout petit dans le lointain le Führer et sa suite... La foule fut prise, progressivement, d'une sorte d'hystérie, acclamant frénétiquement l'homme sinistre. L'hystérie se répandait, avançait avec Hitler comme une marée* ». Un écrivain français qui assistait à cette scène, Denis de Rougemont, « *sentit en lui-même, cette rage, ce délire qui tentait de l'envahir. Il était tout prêt à succomber à cette magie, lorsque quelque chose monta des profondeurs de son être et résista à l'orage collectif. Il raconte qu'il se sentait mal à l'aise, affreusement seul, dans la foule, à la fois résistant et hésitant* ». Soudain il eut un sursaut : « *ce n'était pas sa pensée qui résistait, ce n'était pas des arguments qui lui venaient à l'esprit mais c'était tout son être, toute sa personnalité qui se rebiffait.* » (*Notes*, 176). Ionesco a eu le même mouvement de défense, lorsque dans son pays d'origine, à la veille du conflit mondial, il a vu ses amis rejoindre, de plus en plus nombreux, les rangs de la Garde de Fer ; des artistes délicats, des écrivains raffinés se laissaient captiver par les grossiers sortilèges du fascisme. A ses émotions et répulsions devant l'abêtissement général, il a donné dans *Rhinocéros* une illustration profondément tragique.

On s'étonne que tant de contresens aient été commis à propos de cette pièce si claire. A l'Odéon, Jean-Louis Barrault avait pourtant pris soin de donner aux spectateurs des indications supplémentaires ; ainsi à la musique d'accompagnement se mêlaient des chants de l'armée allemande, familiers aux oreilles de ceux qui ont vécu les années sombres. Si ce commentaire sonore a le mérite d'être exact, il présente l'inconvénient d'être incomplet. Certes *Rhinocéros*, Ionesco l'a dit avec beaucoup de fermeté, est une œuvre antinazie à l'origine, mais, comme il le rappelle à diverses reprises, « *elle est aussi et surtout une pièce contre les hystéries collectives et les épidémies qui se cachent sous le couvert de la raison et des idées mais qui n'en sont pas moins de graves maladies collectives dont les idéologies ne sont que des alibis* » (*Notes*, 177). En somme, *Rhinocéros* dénonce tous les fanatismes.

Le symbole est heureusement choisi. Les rhinocéros sont des bêtes monstrueuses, une revanche de la matière sur l'esprit, masses difformes et énormes qui broient tout sur leur passage brutalement, stupidement. Leur crâne porte une corne redoutable, « ultima ratio » servant à détruire pour détruire. Essayez de discuter avec un fanatique ; vos paroles, quelle que soit leur éloquence, lui sont incompréhensibles. Du fauve, il a « *la candeur et la férocité mêlées* » ; « *il vous tuerait en toute bonne conscience, si vous vous obstiniez à ne pas penser comme lui* » (*Notes*, 182). En outre, comme les fauves, les fanatiques aiment à se réunir en troupeau, pour beugler, charger, saccager. Ce qui s'est passé avant, pendant, et même après la seconde guerre mondiale, prouve que la « rhinocérite », si elle n'est pas une maladie récente, a fait des progrès depuis une trentaine d'années. Avec une fréquence inquiétante, l'homme se change en animal. Cette mutation mentale, Ionesco a eu l'heureuse idée de l'exprimer spectaculairement par une mutation physiologique.

Si j'avais des talents de « sourcier », je ne résisterais pas au plaisir de citer cette réplique du « capitaine » Bada, se disputant avec sa femme : « — *Elle ment. Elle m'accable. Elle me transforme en rhinocéros.* » Ou encore ce texte de Genêt :

Querelle ne s'habituait pas à l'idée, jamais formulée, d'être un monstre. [...] Un jeune garçon métamorphosé, dont l'âme apparaît dans les yeux, en alligator, s'il n'a tout à fait conscience de sa gueule, de sa mâchoire énorme, pourrait ainsi considérer son corps crevassé, sa queue géante et solennelle qui bat l'eau ou la plage ou frôle d'autres monstres...

A quoi bon chercher des antécédents ?

Pour la première fois, Ionesco prend parti, et avec quelle énergie, dans un débat qui reste d'une brûlante actualité. Il nous adresse une mise en garde angoissée ; tous les personnages succombent à l'épidémie, sauf un. Ce privilégié est-il le porte-parole de l'auteur ? Est-il un héros ? Agit-il par instinct de conservation ou d'après les principes d'une philosophie rigoureusement déduite ? La question mérite qu'on s'y arrête.

Il s'appelle Bérenger, comme la victime du Tueur sans gages, sans doute parce qu'il lui ressemble beaucoup ; il appartient au même milieu social, très modeste ; il fait preuve de la même naïveté, de la même bonne volonté. Néanmoins, il possède des défauts et des qualités qui lui sont propres ; il nous apparaît à la fois meilleur et pire, tantôt digne de pitié et tantôt admirable.

Quand il entre en scène pour la première fois, nous sommes tentés de le juger sévèrement. « *Il n'est pas rasé, il est tête nue, les cheveux mal peignés, les vêtements chiffonnés ; tout exprime chez lui la négligence, il a l'air fatigué, somnolent ; de temps à autre, il bâille.* » Sous prétexte de fêter l'anniversaire d'un camarade, il s'est livré la veille au soir à des libations nombreuses et prolongées. Il a du reste un penchant marqué pour le pastis et le cognac, et ses amis luttent en vain contre cette fâcheuse tendance. Bérenger, pour justifier son goût immodéré de l'alcool, répète les arguments des ivrognes vulgaires ; lorsque la rhinocérite exerce ses ravages, il déclare en vidant une bouteille : « *L'alcool est bon contre les épidémies. Ça m'immunise. Par exemple, ça tue les microbes de la grippe.* » Il boit par faiblesse, pour échapper au remords, à l'angoisse, à la terreur. Il regrette de s'être emporté contre son ami Jean : « *Je n'aurais pas dû, je n'aurais pas dû me mettre en colère !* » ; pour conclure cet acte de contrition, il avale un grand verre de cognac. Parfois il essaye de résister à son vice ; mais après de brefs efforts, il cède. Ainsi, au moment de l'invasion des rhinocéros, il s'enferme dans sa chambre. Il lui arrive de prendre une bouteille et un verre, de faire mine de se verser à boire... « *Après un court débat muet, il va de nouveau poser la bouteille et le verre à leur place. De la volonté, de la volonté* », murmure-t-il pour lui-même. Mais le troupeau des fauves se rapproche ; il entend la galopade sous ses fenêtres, et il porte la main à son cœur. Lorsque la rumeur s'éloigne, il « *hésite un instant, puis, avec un geste qui signifie : Tant pis, il se verse un grand verre de cognac qu'il boit d'un trait* ». Toutefois, les tourments de l'angoisse, il les a éprouvés bien avant que les bêtes se répandent dans la cité. Dès le début de l'acte Ier, il livre à Jean le fond de sa pensée : « *Je sens à chaque instant mon corps, comme s'il était de plomb, ou comme si je portais un autre homme sur le dos. Je ne me suis pas habitué à moi-même. Je ne sais pas si je suis moi. Dès que je bois un peu, le fardeau disparaît, je deviens moi.* »

Dans *Tueur sans gages*, Bérenger, comme Ionesco son créateur, avait un jour éprouvé le « *bonheur, l'émerveillement d'être dans un univers qui ne gêne plus, ne tient guère...* » (*Notes*, p. 140). Court moment d'exaltation suivi d'un accablement durable. Dans *Rhinocéros*, Bérenger, moins favorisé, ne semble avoir éprouvé que le malaise d'exister. « *Enivrez-vous* — disait Baudelaire —. *Il faut être toujours ivre. Tout est là : c'est l'unique question. Pour ne pas sentir l'horrible fardeau du Temps qui brise vos épaules et vous penche vers la terre, il faut vous enivrer sans trêve. Mais de quoi ? De vin, de poésie ou de vertu, à votre guise. Mais enivrez-vous.* » Bérenger, ignorant la poésie, respectant la vertu mais à distance, s'enivre de cognac.

Homme sans volonté, il est pourtant un homme de bonne volonté. Le lendemain de sa brouille avec Jean, il court s'excuser. Son ami, qui l'a offensé gravement, lui réserve un accueil dépourvu d'aménité. Peu importe ! Bérenger s'humilie, accepte tous les torts. Il est du reste toujours prêt à pardonner et à voir les autres sous leur meilleur jour. Ceux qui l'entourent ont beau s'abandonner à la rhinocérite, il s'obstine à leur trouver une justification. Voici Botard, un collègue de bureau, qui, après avoir prêché la vertu, après avoir pris, verbalement du moins, la défense des faibles et des opprimés, rejoint le troupeau. Bérenger juge cette défection avec perspicacité : « *Sa fermeté, n'était qu'apparente.* » Mais il ajoute : « *Ce qui ne l'empêche pas, bien sûr, d'être ou d'avoir été un brave homme. Les braves hommes font les braves rhinocéros. Hélas ! C'est parce qu'ils sont de bonne foi, on peut les duper.* » Botard fait en somme figure de victime. De même, le sous-chef de bureau, Dudard ; Bérenger pense que c'est par dépit amoureux qu'il est devenu rhinocéros : « *C'était un timide, il a voulu faire une action d'éclat* », pour éblouir sa belle. Bérenger en arrive à croire qu'il a une part de responsabilité dans la métamorphose de Jean : « ... *Je me reprocherai toujours de ne pas avoir été plus doux avec lui. Je n'ai jamais pu lui prouver, de façon éclatante, toute l'amitié que j'avais pour lui. Et je n'ai pas été assez compréhensif...* » Au milieu de ce délire collectif, devant cette capitulation générale, il garde des illusions aussi généreuses que naïves ; il s'imagine que de la part de ses collègues et amis, il s'agit d' « *un engouement passager* », et qu'ils ne tarderont pas à revenir sur leur décision. Il se figure même qu'à force de bonnes paroles on pourrait, peut-être, convertir les rhinocéros. Cette indulgence, cette naïveté excessives finiraient par être ridicules et irritantes si Bérenger, à son insu, ne devenait un héros.

Et pourtant rien, apparemment, ne le prédispose à l'héroïsme. Il a au contraire tendance à s'effacer, à renoncer, à capituler. Il aime secrètement Daisy, la dactylo de son bureau, mais il n'ose lui déclarer sa flamme, croyant qu'elle « *a déjà quelqu'un en vue* », son collègue Dudard, dont il énumère les qualités : « *licencié en droit, juriste, grand avenir dans la maison* [...], *je ne peux pas rivaliser avec lui* » Au début de la pièce en particulier, Bérenger se montre apathique. Lorsque le premier rhinocéros traverse la ville, les témoins poussent des cris de stupeur et d'indignation. Bérenger, l'esprit embrumé par les libations de la veille, reste indifférent ; la gravité de l'événement semble lui échapper. Il n'est tiré de sa léthargie que le lendemain, lorsque Jean se transforme sous ses yeux en rhinocéros. Spectacle effrayant et dangereux ! En poussant un barrissement terrible, corne en avant, Jean charge le visiteur. Cependant celui-ci, après avoir esquissé un mouvement de fuite, fait demi-tour en disant : « *Je ne peux tout de même pas le laisser comme cela, c'est un ami. Je vais appeler le médecin ! c'est indispensable, indispensable...* » Son héroïsme, on le voit, est purement instinctif et sentimental. Dès qu'il calcule ou raisonne, il est frappé d'impuissance. Devant l'ampleur de la catastrophe, il décide d'agir ; voici son plan : « *J'enverrai des lettres aux journaux, j'écrirai des manifestes, je solliciterai une audience au maire, à son adjoint, si le maire est trop occupé.* » Les arguments qu'il oppose aux partisans des rhinocéros ne sont que des lieux communs : « *... Nous avons une philosophie que ces animaux n'ont pas, un système de valeurs irremplaçable. Des siècles de civilisation humaine l'ont bâti !...* » Ce sont ces mots pleins d'un orgueil naïf mais dépourvus de sens qui dans les années 30 berçaient le sommeil des nations pacifiques tandis que l'Allemagne nazie fourbissait ses armes. Néanmoins, il arrive un moment où Bérenger se débarrasse de ces sophismes, de tous les sophismes, et où il fait preuve d'un solide bon sens, ce qui est un signe de courage dans de pareilles circonstances. Dudard, le licencié en droit, se prépare sournoisement à passer dans le camp ennemi : « *Quoi de plus naturel qu'un rhinocéros ?* » demande-t-il ; Bérenger répond sur un ton indigné : « — *Oui, mais un homme qui devient rhinocéros, c'est indiscutablement anormal.* » Dudard se lance alors dans des arguties : « *Oh, indiscutablement !... Vous savez... [...] Peut-on savoir où s'arrête le normal, où commence l'anormal ? Vous pouvez définir ces notions, vous, normalité, anormalité ? Philosophiquement et médicalement, personne n'a pu résoudre le problème. Vous devriez être au courant de la question.* » Remarque perfide et blessante ! Le licencié veut faire sentir sa supériorité. Or Bérenger contre-attaque :

Peut-être ne peut-on pas trancher philosophiquement cette question. Mais pratiquement, c'est facile. On vous démontre que le mouvement n'existe pas... et on marche, on marche, on marche... [...] Je ne suis pas calé en philosophie. Je n'ai pas fait d'études ; vous, vous avez des diplômes. Voilà pourquoi vous êtes plus à l'aise dans la discussion, moi, je ne sais quoi vous répondre, je suis maladroit. Mais je sens, moi, que vous êtes dans votre tort... Je le sens instinctivement, ou plutôt non, c'est le rhinocéros qui a de l'instinct, je le sens intuitivement, voilà le mot, intuitivement.

Comme l'écrit Ionesco, « *Bérenger ne sait* [...] *pas très bien, sur le moment, pourquoi il résiste à la rhinocérite et c'est la preuve que cette résistance est authentique et profonde. Bérenger est peut-être celui qui, comme Denis de Rougemont, est allergique aux mouvements des foules et aux marches, militaires et autres* » (*Notes*, 177). C'est en suivant sa propre nature, disons sa vocation, que Bérenger devient un héros.

Sur cette voie difficile, il cherche un réconfort, une aide, qu'il croit trouver auprès de Daisy : « *Tu es plus forte que moi* [...]. *C'est pour ta vaillance que je t'admire.* » Mais Daisy ne tarde pas à se lasser, surtout lorsque son ami lui déclare sans ambages : « *Nous pouvons faire quelque chose. Nous aurons des enfants, nos enfants en auront d'autres, cela mettra du temps, mais à nous deux nous pourrons régénérer l'humanité.* » Daisy s'étonne : « *— Régénérer l'humanité ?* » Bérenger tente de la rassurer : « *— Cela s'est déjà fait.* » Daisy n'est pas convaincue : « *— Dans le temps. Adam et Ève... Ils avaient beaucoup de courage.* » Bérenger insiste :

— Nous aussi, nous pouvons avoir du courage. Il n'en faut pas tellement d'ailleurs. Cela se fait tout seul, avec du temps, de la patience.
Daisy. — A quoi bon ?
Bérenger. — Si, si, un peu de courage, un tout petit peu.
Daisy. — Je ne veux pas avoir d'enfants. Ça m'ennuie.
Bérenger. — Comment veux-tu sauver le monde alors ?
Daisy. — Pourquoi le sauver ?

Cette question de la jeune femme est en effet très importante, semble-t-il ; avant d'agir, il est sage de s'interroger sur le sens de l'action. Or Bérenger, incapable de fournir des arguments

valables, se contente de dire : « — *Fais ça pour moi, Daisy.
Sauvons le monde* ».

Obéissant à une impulsion naturelle, il est un héros malgré
lui. Abandonné par Daisy, seul au milieu des rhinocéros triom-
phants, désemparé, il regrette un instant de ne pas s'être mêlé
au troupeau : « *Oh, comme je voudrais être comme eux. Je n'ai
pas de corne, hélas !* » Il s'efforce de barrir, mais ne parvient
qu'à pousser des cris affreux : « *Les hurlements* — constate-t-il
avec amertume — *ne sont pas des barrissements !* » Néanmoins,
au moment où il déplore de ne pouvoir se transformer en rhinocéros, il a un brusque sursaut : « — *Eh bien tant pis ! Je me
défendrai contre tout le monde ! Ma carabine, ma carabine !
Contre tout le monde, je me défendrai, contre tout le monde, je
me défendrai ! Je suis le dernier homme, je le resterai jusqu'au
bout ! Je ne capitule pas !* »

Bérenger est de toute évidence un personnage « construit » ;
en d'autres termes, Ionesco l'a imaginé pour défendre et illustrer sa thèse. Comme l'a très bien vu Jean-Paul Sartre, Bérenger
est un de ceux qui « *dans une société d'oppression, dans sa forme
politique, la dictature où tout le monde paraît consentant, témoignent
de l'avis de ceux qui ne sont pas consentants...* » (*Notes*, 97).
A dessein, Ionesco en a fait « *un être plutôt simple* » (*ibid.*, 177),
peu cultivé et occupant dans la société une place obscure. Il
est vrai que les grands, par crainte de perdre leurs privilèges
acquis, capitulent plus facilement que les petits ; de plus,
Ionesco se méfie personnellement des intellectuels qui, à son
avis, « *depuis une trentaine d'années, ne font que propager les
rhinocérites et... ne font que soutenir philosophiquement les hystéries collectives dont des peuples entiers deviennent périodiquement
la proie* » (*ibid.*, 187). Bérenger est donc le symbole du bon sens,
de l'instinct que rien n'a pu faire dévier. Quoique délibérément
construit, il n'en reste pas moins vivant, par ce mélange de faiblesse et de force, d'aveuglement et de lucidité qui le caractérise. Nous compatissons à ses souffrances et à ses angoisses,
son héroïsme sans fanfaronnade nous exalte ; nous le plaignons
et nous l'admirons.

Il en va de même des autres personnages, qui sont tous des symboles vivants, des idées incarnées, mais également des êtres humains. Ainsi Jean a été conçu comme le « repoussoir » de Bérenger. Il possède apparemment les qualités qui font défaut à son camarade : « *Il est très soigneusement vêtu. Costume marron, cravate rouge, faux col amidonné, chapeau marron.* [...] *Il a des souliers jaunes, bien cirés...* » Il ne se déplace jamais sans avoir dans ses poches un peigne, une petite glace, et même une ou deux cravates de rechange. Dès qu'il parle, il a les mots de « *devoir* » et de « *volonté* » à la bouche. « *Vivre, c'est combattre* », disait Sénèque ; Jean reprend à son compte, presque textuellement, la formule du stoïcien : « *— La vie est une lutte, c'est lâche de ne pas combattre !* » Il se plaît à énumérer toutes les armes qui sont à la disposition d'un homme courageux : « *Les armes de la patience, de la culture, les armes de l'intelligence.* » Jean, qui se préoccupe du salut de ses concitoyens, se flatte d'avoir un esprit civique. Quand le premier rhinocéros fait son apparition, il manifeste bien haut son indignation. Quelle négligence, quelle incurie, se lamente-t-il, « *de laisser courir un rhinocéros en plein centre de la ville, surtout un dimanche matin, quand les rues sont pleines d'enfants... et aussi d'adultes... à l'heure du marché, encore* ».

Jean voudrait d'autre part soustraire Bérenger à ses mauvaises habitudes : ivrognerie, paresse. A cet égard, il ne lui épargne ni les leçons ni les conseils pratiques : « *Au lieu de boire et d'être malade, ne vaut-il pas mieux être frais et dispos ?* [...] *Visitez les musées, lisez les revues littéraires, allez entendre des conférences.* » *Rhinocéros*, comme *Tueur sans gages*, a d'abord été écrit sous la forme d'un conte, publié par *Lettres Nouvelles*, en septembre 1957. Dans le récit, c'est Bérenger qui au lendemain de ses libations, fait son examen de conscience et prend de vertueuses résolutions. Dans la pièce, Ionesco a mis dans la bouche de Jean le monologue intérieur de Bérenger. Grâce à ce transfert, le personnage nous apparaît comme un professeur de morale.

Il est seulement dommage qu'il ne prêche pas d'exemple,

que ses actes ne soient pas en harmonie avec ses paroles.
« — *Laissez ce verre sur la table. Ne le buvez pas* », ordonne-
t-il à Bérenger. Aussitôt après, il boit une grande gorgée de
pastis. Il engage son ami à « *passer ses moments disponibles d'une
façon intelligente* », à visiter l'après-midi le musée municipal
et à aller voir une pièce de Ionesco le soir. Prêt à s'exécuter
docilement, Bérenger prie Jean de l'accompagner ; celui-ci s'es-
quive : « — *Cet après-midi, je fais la sieste, c'est dans mon programme.* [...] *Ce soir, je dois rencontrer des amis à la brasserie.*
[...] *J'ai promis d'y aller. Je tiens mes promesses.* » En somme,
c'est par esprit d'organisation et par respect des engagements
qu'il va se livrer à la paresse et participer à une beuverie. Ce
moraliste est essentiellement un sophiste.

Il laisse apparaître un défaut plus grave encore. C'est un esprit
primaire, simpliste, simplificateur à l'excès. Si vous suivez mes
conseils, promet-il à Bérenger, « *en quatre semaines, vous êtes
un homme cultivé* ». On songe à ces placards publicitaires qui
s'étalent dans les journaux : « Apprenez l'anglais, le russe, le
javanais, sans peine et en trois mois ». Jean ne se pose jamais
de problèmes. Lorsque Bérenger lui avoue qu'il a toujours peur,
il demande ingénument : « — *Peur de quoi ?* » Bérenger estime
que c'est « *une chose anormale de vivre* », Jean proteste : « — *Au
contraire. Rien de plus naturel. La preuve : tout le monde vit.* »
A la faiblesse apparente de son compagnon, il oppose triomphalement sa force : « — *Oui, j'ai de la force, j'ai de la force pour
plusieurs raisons. D'abord, j'ai de la force, parce que j'ai de la
force, ensuite j'ai de la force, parce que j'ai de la force morale.* »
Sûr de lui, persuadé qu'il est le détenteur de la vérité universelle, il déteste qu'on lui porte la contradiction. Aux arguments,
même de gros bon sens, qu'on lui oppose, il répond par des
insultes. Au paroxysme de la colère, il traite Bérenger d'Asiatique, Bérenger lui fait remarquer posément : « — *Je ne suis
pas Asiatique* [...]. *D'autre part, les Asiatiques sont des hommes
comme vous et moi...* » Cette réponse, pleine de logique, met
Jean hors de lui : « — *Ils sont jaunes !* » hurle-t-il, laissant percer
ses préjugés racistes. Décidément tout en lui, et surtout cette

facilité à admettre sans contrôle des slogans sommaires et
erronés, le prédispose à contracter ce mal qui répand la terreur, la rhinocérite.

Jean est sans aucun doute, consciemment ou non, un fas-
ciste. Or il y a dans la pièce un autre personnage qui appartient à un bord diamétralement opposé, mais qui se transforme
lui aussi en rhinocéros car, comme Jean, il répète mécanique-
ment les lieux communs de son parti. Il s'agit de Botard, ancien
instituteur, travaillant dans le même bureau que Bérenger.
Botard est un homme de gauche, ou plus exactement d'extrême-
gauche. « *La religion — déclare-t-il — est l'opium des peuples !* »
On reconnaît une formule qui a été longtemps utilisée par le
parti bolchevique. Botard, dans toutes les circonstances, à propos et souvent hors de propos, débite les phrases toutes faites,
qu'il a apprises dans des meetings politiques ou au cours de
réunions électorales. Lorsque les rhinocéros parcourent la
ville, il s'écrie, on ne sait pourquoi : « *C'est toujours sur les petits
que ça retombe.* » Comme l'événement interrompt les activités
du bureau, le chef de service rappelle aux employés qu'ils ne
sont pas en vacances et « *qu'on reprendra le travail dès que possible* » ; Botard s'indigne : « *Évidemment, on nous exploite jusqu'au sang !* » Protestation d'autant plus comique que Botard
au bureau travaille peu et passe son temps à bavarder.

A l'instar de Jean, ce personnage s'estime omniscient, mais
ce qui aggrave son cas, c'est qu'il est un demi-savant. Il tire
de sa qualité d'instituteur en retraite une vanité démesurée :
« *Les Facultés, l'Université — affirme-t-il —, cela ne vaut pas
l'école communale.* » Il se pique de savoir distinguer l'erreur de
la vérité : « *En tant qu'ancien instituteur, j'aime la chose précise,
scientifiquement prouvée, je suis un esprit méthodique, exact.* » Il
se vante de ne croire que ce qu'il voit, de ses propres yeux.
A son avis, « *les journalistes sont tous des menteurs.* [...] *Ils ne
savent quoi inventer pour faire vendre leurs méprisables journaux,
pour servir leurs patrons, dont ils sont les domestiques !* »

Nous saisissons la contradiction fondamentale de son caractère. D'une part, il emploie des formules toutes faites, d'autre

part il se flatte d'avoir un esprit critique. Cette contradiction, il ne parvient pas à la surmonter, ou plutôt il tente de la surmonter par de constantes palinodies et des mensonges grossiers. Il a d'abord affirmé, sur un ton supérieur, que les rhinocéros n'existaient que dans l'imagination des bonnes femmes. Mais un fauve ayant détruit l'escalier du bureau, son collègue Dudard lui demande ironiquement : « — *Alors, monsieur Botard, est-ce que vous niez toujours l'évidence rhinocérique ?* » Botard répond sans sourciller : « — *Non, monsieur Dudard, je ne nie pas l'évidence rhinocérique.* » Et il a le front d'ajouter : « — *Je ne l'ai jamais niée.* » Protestation justifiée de Dudard : « — *Vous êtes de mauvaise foi.* » Lorsqu'il se sent en infériorité, Botard s'en tire par des accusations gratuites. En voyant les rhinocéros, il vocifère : « — *C'est une machination infâme ! (D'un geste d'orateur de tribune, pointant son doigt vers Dudard, et le foudroyant du regard.) C'est votre faute.* » Plus la situation devient compliquée et angoissante, plus Botard se montre menaçant et terrible : « — *Je connais le pourquoi des choses, les dessous de l'histoire [...]. Et je connais aussi les noms de tous les responsables. Les noms des traîtres. Je ne suis pas dupe. Je vous ferai connaître le but et la signification de cette provocation ! Je démasquerai les instigateurs.* » C'est le chef de bureau, M. Papillon, qui le premier devient rhinocéros, à la grande indignation de Botard qui, cependant, deviendra lui-même rhinocéros vingt-quatre heures plus tard. « — *Il faut suivre son temps !* » telles seront ses dernières paroles humaines. Cette métamorphose est, pour ainsi dire, naturelle, Botard ayant toujours eu l'esprit grégaire.

Le cas de Dudard est plus complexe. Dans le récit, Dudard ne jouait qu'un rôle épisodique ; au contraire, dans la pièce, son rôle est important. Ce licencié en droit est le type même de l'intellectuel, plein de nuances et de pondération. Il a, en apparence du moins, la tête froide. Bérenger a reçu un grand choc en assistant *de visu* à la transformation de Jean en rhinocéros. Or Dudard s'applique à le calmer et à le réconforter. Il analyse, d'une manière judicieuse, le cas de Jean qui n'est ni « *symptomatique* » ni « *représentatif* » ; c'était un « *orgueilleux* », dit-il,

« *un excité, un peu sauvage, un excentrique, on ne prend pas en considération les originaux* ». Tout cela est bien vu, bien pensé. Mais à force de chercher à comprendre, de peser minutieusement le pour et le contre, Dudard en arrive à douter de tout, bien qu'il se garde, comme il l'affirme à diverses reprises, de prendre parti à fond pour les rhinocéros. Si Bérenger déclare : « — *Il faut couper le mal à la racine* », Dudard se hâte d'élever une objection : « — *Le mal, le mal ! Parole creuse ! Peut-on savoir où est le mal, où est le bien ?* » Devant ce qui se passe, Bérenger s'écrie : « — *C'est de la folie !* » Dudard lui fait observer : « — *Encore faut-il savoir ce que c'est que la folie...* » Sous le masque de la froideur objective, cet intellectuel cache « *les impulsions les plus irrationnelles et véhémentes* » (*Notes*, 177). A la fin de l'entretien, il avoue ingénument qu'il a envie de manger sur l'herbe. « — *Ne faites pas ça* », supplie Bérenger ; « *l'homme est supérieur au rhinocéros !* » Dudard répond avec une grande douceur : « — *Je ne dis pas le contraire. Je ne vous approuve pas non plus. Je ne sais pas, c'est l'expérience qui le prouve.* » On entend dans la rue le piétinement et le barrissement des bêtes. Le licencié se met à tourner en rond dans la chambre : « — *J'ai des scrupules ! Mon devoir m'impose de suivre mes chefs et mes camarades, pour le meilleur et pour le pire.* [...] *Je ne les abandonnerai pas, je ne les abandonnerai pas.* » Après avoir avancé ce généreux prétexte, il se précipite pour rejoindre le troupeau. Dudard est un de ces clercs à qui Julien Benda ne pardonnait pas leur trahison. Trahison d'autant plus odieuse qu'elle est honteuse.

Tel est le contenu de la pièce, qui est aussi riche qu'actuel. Il reste maintenant à étudier la forme, dont l'originalité, contrairement aux autres pièces de Ionesco, n'a pas déconcerté les spectateurs. L'acte Ier se passe tout entier sur la place publique d'une petite ville de province, un dimanche matin. Les gens vont et viennent, tandis que Jean et Bérenger prennent l'apéritif à la terrasse d'un café. Soudain, « *on entend le bruit très éloigné, mais se rapprochant très vite, d'un souffle de fauve et de sa course précipitée, ainsi qu'un long barrissement* ». Le rhinocéros entre en scène. Bien entendu, nous ne le voyons pas, mais sa présence est rendue sensible par le bruit qu'il fait et par l'attitude des personnages, qui, médusés, suivent du regard la course du monstre, en poussant des exclamations. Puis le galop et le barrissement s'éloignent, et les témoins, recouvrant la parole, s'interrogent sur cet incident inexplicable. La vie reprend peu à peu son cours normal. Les gens bavardent à tort et à travers, Jean adresse un sermon à Bérenger, tandis qu'un insupportable Logicien donne une leçon de logique à un vieux monsieur. Les conversations, les répliques se confondent, ce qui fait ressortir la trivialité et la platitude des propos échangés. Soudain un « *grand bruit couvre les paroles des personnages* » ; un second rhinocéros passe en sens inverse du précédent. De nouveau, la stupeur paralyse les témoins. Au milieu du vacarme, « *on entend un miaulement déchirant* ». Une femme se lamente : « — *Il a écrasé mon chat, il a écrasé mon chat !* » On s'efforce de la consoler : « — *Que voulez-vous, Madame, tous les chats sont mortels. Il faut se résigner.* » On fait boire un cognac à la dame, on s'indigne de la cruauté du fauve. Mais est-ce le même rhinocéros que tout à l'heure, ou en est-ce un autre ? A-t-il une corne ou deux cornes ? Est-il africain ou asiatique ? Les avis sont partagés et telle est l'origine de la dispute violente qui oppose Jean à Bérenger. Jean se retire furieux. Et tandis que le rideau descend doucement, Bérenger boit un grand verre de cognac pour noyer son chagrin.

Si l'acte Ier est un acte de plein air, en revanche l'acte II, divisé en deux tableaux, est un acte d'intérieur. Le premier tableau a pour cadre le bureau dans lequel travaille Bérenger, le second la chambre de Jean. Ainsi d'un acte à l'autre, l'objectif se rétrécit progressivement ; mais ce qu'il perd en ampleur, il le gagne en précision. Le premier acte se passe sur une place publique, où évoluent une dizaine de personnages ; deux rhinocéros traversent la scène, mais visibles aux acteurs, ils restent invisibles aux spectateurs. Au contraire, dans la seconde moitié de l'acte II, il ne reste sur le plateau que deux personnages, et cette fois les spectateurs voient un rhinocéros, ou, ce qui est encore plus impressionnant, ils assistent à la transformation progressive d'un homme en rhinocéros. La gradation dans l'horreur est habilement ménagée. Bérenger trouve Jean au lit et malade. Jean a la voix rauque, il souffre d'un violent mal de tête ; son humeur est détestable. Son front porte une petite bosse. Bérenger voudrait appeler un médecin, mais Jean affirme qu'il n'a confiance que dans les vétérinaires, ce qui montre qu'une mutation psychologique accompagne la mutation physiologique. La peau du malade change de couleur à vue d'œil, elle verdit et durcit. Jean se révèle de plus en plus misanthrope : « — *Les hommes me dégoûtent, mais qu'ils ne se mettent pas en travers de ma route, je les écraserais.* » Il « *parcourt la chambre, comme une bête en cage, d'un mur à l'autre. [...] Sa voix est toujours de plus en plus rauque* ». Comme il a très chaud, il se précipite dans la salle de bain. De temps en temps, il sort la tête par l'entrebâillement de la porte. Il est très vert, sa bosse prend des proportions inquiétantes. Bientôt il parle avec difficulté, sa voix est méconnaissable, il souffle bruyamment. Finalement sa bosse devient une corne, il se débarrasse de son pyjama, fonce sur Bérenger, puis retourne à toute vitesse dans le cabinet de toilette. A grand peine, Bérenger bloque la porte, qui est traversée par la corne du monstre. C'est une scène hallucinante.

L'acte III est beaucoup moins spectaculaire ; il paraît, sinon faible, du moins fade en comparaison du précédent. Non qu'il soit inintéressant ; nous y entendons Bérenger l'intuitif discuter avec Dudard l'intellectuel, et ce débat ne peut laisser indifférent. Mais l'inconvénient, c'est que cette scène est tout entière en conversations, que le spectateur écoute mal parce qu'il est encore obsédé par les images violentes de l'acte II. Après le départ de Dudard, l'action faiblit encore. Bérenger reste en tête à tête avec Daisy, et cette tentative amoureuse se solde, naturellement, par un échec. Quelques inventions heureuses, il est vrai, relève le dialogue qui risquerait de paraître lassant. Ainsi la sonnerie du téléphone retentit, le couple sursaute ; toujours optimiste, Bérenger suppose qu'un de leurs

amis veut annoncer qu'il est revenu sur sa décision, à moins
que ce ne soit les autorités qui réagissent. Daisy ne partage
pas ces généreuses illusions. Néanmoins, sûr de son fait, son
compagnon décroche l'appareil ; saisi d'horreur, il n'entend
que des cris d'animaux. Daisy ne résistera pas davantage à
la pression des événements. La dernière scène, la meilleure de
cet acte, montre Bérenger, affolé par la solitude, essayant de
barrir et de marcher à quatre pattes ; puis, dans un brusque
sursaut, il assume son destin d'homme.

Un journaliste américain s'est plaint que, après avoir détruit
un conformisme, le dramaturge, n'ayant rien proposé à la place,
« *laisse les spectateurs dans le vide* ». Ionesco a répondu triomphalement que c'était bien ce qu'il avait voulu faire : « *C'est
de ce vide qu'un homme libre doit se tirer tout seul, par ses propres
forces et non par la force des autres.* » (*Notes*, 188). Telle est
en définitive la difficile mais tonique leçon qui se dégage de la
pièce. Nous devons apprendre ou plutôt réapprendre à nous
débarrasser des mots et des pensées qui ne sont pas les nôtres ;
nous devons apprendre ou plutôt réapprendre à être nous-
mêmes.

je m'envole

Il file à travers l'espace, vire sur l'aile, descend en feuille morte, remonte en chandelle, laissant derrière lui un sillage lumineux. Les Anglais du comté de Gloucester qui observent ce phénomène n'en croient pas leurs yeux. Il faut pourtant se rendre à l'évidence : Bérenger III a réalisé un exploit dont son plus lointain prédécesseur avait eu le pressentiment. Visitant la cité radieuse, Bérenger I évoquait un de ses moments d'enthousiasme :

— Je marchais, je courais, je criais : je suis, je suis, tout est, tout est !... Oh, j'aurais certainement pu m'envoler, tellement j'étais devenu léger, plus léger que ce ciel bleu que je respirais... Un effort de rien, un tout petit bond aurait suffi... Je me serais envolé... j'en suis sûr. (*Tueur sans gages*, 78)

Ce garçon a manqué d'initiative, de volonté, ou d'audace. Il lui suffisait de faire un petit effort, et ses pieds auraient quitté le sol ; mais il s'est laissé glisser dans le marasme.

A vrai dire, Bérenger III, ce « piéton de l'air », ce conquérant du ciel, est lui aussi un cyclothymique. Tantôt il est triste et sans ressort, tantôt le bonheur le remplit, la joie le gonfle. Cependant, à la différence des Bérenger I et II, il n'est pas un homme seul et pauvre, ingénu, plein de bonne volonté, altruiste et humaniste. Marié, et même père de famille, il mène une vie de petit bourgeois rangé auprès d'une épouse qui ne lui épargne guère les remontrances. C'est plutôt à Amédée qu'il ressemble.

Faisant écho à Madeleine, Joséphine accuse son mari de trop aimer la boisson : « *Cela t'empêche de travailler.* » Elle lui reproche de chercher tous les prétextes pour s'abandonner à la paresse ; après la destruction de leur maison de campagne, elle déclare sur un ton presque hargneux : « — *Tu ne pouvais pas espérer une meilleure excuse pour ne pas travailler.* » Elle rend son mari responsable de leur malheur commun : « ... *Je t'avais prévenu. Tu aurais dû être plus prudent.* [...] *Tu aurais dû acheter une maison plus solide, non pas cette cabane en carton mâché...* » De plus, comme Madeleine, Joséphine se plaint d'être réduite en esclavage : « — *J'ai tellement de choses à faire à la maison. Les crêpes, la salade pour la semaine...* » Enfin, comme Amédée, Bérenger s'envole, tandis que sa femme proteste : « *On va se moquer de nous ! Tu nous tournes en ridicule.* » Car Joséphine se montre aussi timorée et conformiste que Madeleine : « *On t'attaquera dans les journaux. Tu n'auras plus de visa anglais.* [...] *Tout le monde te donne tort.* » Cependant, elle changera d'avis lorsque son époux aura effectué un vol triomphal : « — *Je suis émue. Mais je suis confiante.* [...] *C'est tout de même quelqu'un.* »

En effet, si Amédée échoue dans tous les domaines, Bérenger au contraire réussit sur terre comme au ciel. Écrivain connu, il voit les journalistes s'intéresser à sa personne, ses idées, son avenir. Un peu grisé par la gloire et la fortune, il se révèle vaniteux et intéressé, exigeant que sa photo soit mise en première page, et acceptant volontiers le chèque qu'on lui offre après une interview. Malgré ce côté déplaisant, Ionesco en a fait son porte-parole, sinon son « double ». Bérenger III manifeste les mêmes obsessions que son créateur ; en particulier, il est hanté par le spectre de la mort : « ... *Je suis paralysé parce que je sais que je vais mourir.* » Résolument anti-intellectuel, il exprime sa méfiance à l'égard de toute idéologie, surtout de toute idéologie dominante : « *C'est au moment où elle s'installe et où elle triomphe qu'elle commence à être dans l'erreur.* » Dans *Notes et contre-notes*, Ionesco stigmatisait déjà l'usage malhonnête que les « demi-intellectuels » font de l'Histoire : « *L'Histoire, qui était, récemment encore, la connaissance des événements du passé, est devenu science du présent et de l'avenir, technique des prophéties, Bible écrite et non écrite, Loi, Divinité, Mythe : et mythe d'autant plus puissant que les démystificateurs eux-mêmes non seulement le tolèrent, mais veulent nous l'infliger.* » (p. 217). Or ce point de vue est repris par Bérenger : « *Ils considèrent que l'Histoire a raison alors qu'elle ne fait que déraisonner. Mais pour eux, l'Histoire, c'est tout simplement la raison du plus fort, l'idéologie d'un régime qui s'installe et qui triomphe.* » (*Le Piéton de l'air*, p. 126). En outre, Bérenger reproche aux littérateurs de dénoncer « *des maux, des injustices, des aliénations, un malaise d'hier* », alors qu'ils ferment les yeux « *sur le mal d'aujourd'hui* » ; il les exécute d'une phrase : « *Ils sont bêtes et ne sont pas courageux.* » Mais c'est aussi la littérature qu'il met en question ; elle n'a pas, à son avis, « *l'acuité, la tension de la vie* », elle ne peut présenter qu'une image « *très atténuée, très amoindrie de l'atrocité véritable* » et également « *du merveilleux réel* ». La réalité dépassant la fiction, Bérenger a été tenté de briser sa plume. Entre la rédaction de *Rhinocéros* et celle du *Piéton de l'air*, il s'est écoulé quatre ans, durant lesquels Ionesco a gardé le silence ; son personnage donne les raisons de cette retraite : « *Il y avait autrefois en moi une force inexplicable qui me déterminait à agir ou à écrire malgré un nihilisme fondamental. Je ne peux plus continuer. [...] Cela me consolait un peu de dire qu'il n'y avait rien à dire. Maintenant, j'en suis trop convaincu...* » Ces motifs sont aussi nobles qu'affligeants. Néanmoins le voici de nouveau lancé dans cette carrière littéraire dont il déplore la vanité. N'écrirait-il que pour prouver qu'il est absurde d'écrire ?

Le journaliste qui l'interroge ne manque pas de relever la contradiction : « *— Un instant... Vous faites donc un théâtre à message ? Un message qui n'est pas celui des autres mais qui en est tout de même un... Votre message...* » Bérenger se hâte de l'interrompre : « *— Hélas ! C'est bien malgré moi. J'espère cependant que derrière mon message apparent, il y aura autre chose, quelque chose que je ne connais pas encore mais qui se dévoilera peut-être... de lui-même... dans la fiction...* » Ainsi le littérateur écrit malgré qu'il en ait, par la force de l'habitude, pour crier son indignation et sa « vérité », quoiqu'il sache que ça ne sert à rien. Mais écrire, c'est aussi un moyen de se connaître, de mettre au jour ce qui, sans cet effort, resterait enfoui dans la nuit de l'inconscient. Il est curieux de remarquer que dans son dernier livre, Jean-Paul Sartre, faisant part d'un égal désenchantement, réhabilite son métier à l'aide d'arguments à peu près analogues :

> Truqué jusqu'à l'os et mystifié, j'écrivais joyeusement sur notre malheureuse condition [...]. J'ai changé. [...] J'ai désinvesti mais je n'ai pas défroqué : j'écris toujours. Que faire d'autre ? [...] C'est mon habitude et puis c'est mon métier. Longtemps j'ai pris ma plume pour une épée : à présent je connais notre impuissance. [...] La culture ne sauve rien ni personne, elle ne justifie pas. Mais c'est un produit de l'homme : il s'y projette, s'y reconnaît ; seul, ce miroir critique lui offre son image. [1]

Si de pareilles confidences trouvent leur place dans un essai autobiographique, ne risquent-elles pas d'alourdir une pièce de théâtre ? Certes, par ses professions de foi, *Le Piéton de l'air* rappelle et complète *L'Impromptu de l'Alma* ; du moins, dans *L'Impromptu*, Ionesco ne se prenait-il pas au sérieux. Au contraire, dans sa nouvelle pièce, et pour la première fois, il devient un personnage, et un personnage encombrant parce qu'il est trop « vrai », et, ce qui est plus grave, trop bavard. Bérenger se livre à des spéculations sur « l'anti-monde », tente de définir le néant, essaye de préciser les caractères et les limites de la certitude. Ce dogmatisme, quoique teinté d'humour, ralentit l'action et lui fait perdre son caractère dramatique.

On remarque du reste, d'un bout à l'autre de la pièce, l'insuffisance, pour ne pas dire l'absence de « tension ». Les antagonismes sont superficiels, sans force et sans durée. Quand Bérenger affronte un journaliste qui l'importune, il refuse d'abord l'interview, puis l'accorde généreusement. Bien que sa femme ait tendance à le critiquer, il semble néanmoins s'entendre assez bien avec elle ; rien de comparable au tragique

1. *Les Mots*, pp. 210 et 211.

conflit d'Amédée et de Madeleine. Ses exploits aériens, sans doute, provoquent un moment d'angoisse ; il est monté si haut, qu'aux yeux des observateurs il n'est qu' « *une sorte de boule lumineuse ou de fusée de feu d'artifice, qui apparaît, disparaît, va de plus en plus vite, droite à gauche, gauche à droite* ». On compte les révolutions qu'il accomplit autour de notre globe. Soudain, il s'immobilise, puis paraît se rapprocher de la terre. Faut-il craindre un accident ? Les témoins essayent d'interpréter le comportement de l'homme-météore :

Ire VIEILLE ANGLAISE. — Il fait des signes de détresse.
JOSÉPHINE. — Mon Dieu ! Va-t-il tomber ? [...]
JOURNALISTE. — Il se maintient, il ne tombe pas.
2e V. ANGLAISE. — Il n'est pas content. [...]
JOHN BULL. — Ça n'a pas l'air d'aller. [...]
2e V. ANGLAISE. — On ne le voit plus.
JOSÉPHINE. — On ne le voit plus. Il a disparu.

A la fin, Bérenger revient sur notre planète sain et sauf. Ionesco a eu l'heureuse idée de rendre son approche sensible en le présentant d'abord sous la forme d'une boule de feu, puis d'une poupée minuscule qui grandit progressivement, jusqu'à ce que le voyageur en chair et en os atterrisse sur le plateau. Cet artifice scénique est ingénieux. Malheureusement, le dramaturge a utilisé le plus souvent des moyens qui font la part trop belle à l'acrobatie pure. Ainsi Bérenger explique à sa fille Marthe que pour s'envoler il faut prendre la position et faire les mouvements d'un cycliste ; aussitôt « *une bicyclette blanche de cirque est lancée des coulisses* ». Bérenger tourne autour du plateau, monte sur un praticable, disparaît un instant, réapparaît toujours au-dessus des personnages ; « *la bicyclette n'a plus qu'un cycle, puis n'a plus de guidon.* » Ce qui fait battre le cœur des spectateurs, c'est uniquement la crainte que l'acteur (ou sa doublure) ne se casse la figure. S'il est légitime d'intégrer le cirque au théâtre, encore faut-il veiller à ce que le théâtre ne soit pas éclipsé par le cirque.

Du reste, dans cette pièce, l'objectivation n'a pas les vertus qu'on appréciait dans les œuvres antérieures. Cessant d'être l'expression du psychisme profond ou des réalités métaphysiques, les objets s'entassent vainement pour former un bric-à-brac, ou, au mieux, créer la poésie dérisoire d'un magasin de jouets mécaniques. Tandis que la famille Bérenger se promène dans la campagne anglaise, « *on entend le bruit lointain d'un train avec les sifflets de la locomotive. On voit le train tout petit dans le lointain avec des wagonnets rouges* ». Marthe, émerveillée, s'écrie : « — *Oh, regarde, Papa, regarde, Maman, le joli petit train. On dirait un jouet.* » Bérenger commente : « — *C'est un train comme cela que j'aurais voulu avoir dans mon enfance. Hélas, les enfants d'aujourd'hui n'en veulent plus, ils n'aiment que les fusées.* » L'épisode est aimable, mais sans rapport avec l'essentiel. Il est fâcheux que Ionesco récidive. Un peu plus loin, les Bérenger découvrent, avec le même plaisir, « *un train à crémaillère, des téléphériques en marche, de toutes les couleurs* », de « *petites voitures* » qui franchissent un pont d'argent à toute vitesse et « *reçoivent la lumière dans leurs vitres de portières pour la renvoyer en mille morceaux multicolores* ». On se croirait devant la vitrine d'un grand magasin, une veille de Noël.

L'imagination du dramaturge, auparavant si féconde, semble avoir été frappée de stérilité. Introduit-il sur la scène un « passant de l'anti-monde », il ne trouve rien de plus original que de lui faire fumer sa pipe à l'envers, symbole un peu pauvre... Les cauchemars de Joséphine qui souffre d'un complexe de culpabilité, sont concrétisés de la façon suivante : un juge énorme, vêtu d'une robe rouge, avance sur des roulettes, accompagné de deux assesseurs, bien moins grands, en direction de la jeune femme terrorisée. Le procès commence... C'est du sous-Kafka. Aucune des scènes oniriques de cette pièce n'atteint à l'intensité de *Victimes du devoir* ; elles n'offrent pas non plus l'humour d'une parodie.

Comme *Amédée, Victimes du devoir, Tueur sans gages* et *Rhinocéros, Le Piéton de l'air* fut d'abord composé sous la forme d'une nouvelle, publiée par la *N.R.F.* en février 1961. Le récit est très supérieur à la comédie ; Ionesco semble du reste avoir été plus gêné qu'auparavant pour passer d'un genre à l'autre. Ainsi, au début de la nouvelle, écrite à la première personne, le narrateur présente en peu de mots sa maisonnette et la campagne environnante ; au théâtre, la description devient naturellement un décor, ainsi qu'en témoignent les indications de mise en scène précédant le texte. Or, trop prisonnier peut-être de la courte histoire qui lui sert de canevas, l'auteur met dans la bouche du journaliste le passage descriptif initial, en substituant *vous* à *je* : « *Vous êtes arrivés en Angleterre, dans le comté de Gloucester où vous habitez une maisonnette préfabriquée, au milieu de ce champ herbeux, situé sur la très verte hauteur dominant la vallée, dans laquelle* [tout en parlant, le Journaliste indique de la main le décor] *entre deux collines boisées coule un petit fleuve navigable...* » On se demande pourquoi le personnage juge nécessaire de décrire un paysage que Bérenger contemple de sa fenêtre, et que les spectateurs voient de leur fauteuil. Le journaliste a conscience de ce pléonasme puisqu'il s'efforce de le justifier : « *Nous nous sommes renseignés, Monsieur, excusez-nous pour notre indiscrétion respectueuse.* » En somme, il veut naïvement prouvé qu'il est bien informé. L'humour cette fois réussit à dissimuler une défaillance technique.

Mais, d'une façon générale, la transposition scénique, trop voyante, conduit au délayage. Voici, par exemple, comment dans la nouvelle est présenté l'épisode du bombardement :

[...] J'eus envie de marcher dans l'herbe fraîche sous le ciel si bleu de ce mois de juin anglais, lorsque, juste au moment où j'arrivai sur le seuil de la porte, un avion allemand de bombardement, sans doute le dernier rescapé de la guerre, lâcha une bombe qui tomba juste sur mon toit. Ma maison s'effondra. Par miracle, je sortis indemne d'entre les ruines fumantes.

C'est le style et l'humour de Voltaire. Avec un apparent détachement, le narrateur assiste à une catastrophe insolite, dont il rend compte en termes laconiques, non sans ménager une gradation dans l'effet de surprise. D'abord apparaît dans le ciel anglais « *un avion allemand de bombardement* » ; la chose en soi n'est pas impossible, puisque la Luftwaffe, reconstituée, participe aux manœuvres européennes. Toutefois c'est « *le dernier rescapé de la guerre* » et, qui plus est, il lâche une bombe, en choisissant pour objectif précis la maison de l'écrivain... L'événement est anachronique, absurde, comme le sont hélas ! les conséquences des conflits mondiaux, pour les peuples et les individus. Il y a quelques semaines, les journaux nous apprenaient qu'un obus, tiré pendant la bataille de Verdun, et enfoui dans le sol depuis près d'un demi-siècle, avait enfin explosé et tué un jeune soldat.

Dans la pièce, cette péripétie perd de son efficacité. Elle est, si l'on peut dire, à la fois trop bien préparée et trop brutale. On entend un lointain vrombissement qui grandit peu à peu, tandis que la scène s'obscurcit. Puis ce sont les ténèbres, une bombe explose sur la cabane de Bérenger, « *cabane que l'on aperçoit, pendant deux secondes, illuminée par l'éclat du projectile.* [...] *De nouveau, obscurité complète, pendant quelques très courts instants, et le vrombissement de l'avion faiblit progressivement.* [...] *Lumière. La cabane* [...] *est un monceau de ruines fumantes* ». Le public est tellement bouleversé qu'il ne prête guère attention aux paroles que prononce Bérenger après le sinistre : « — *C'est un avion allemand de bombardement. Un rescapé de la dernière guerre.* » Or si cette réplique n'est pas entendue, on ne peut guère comprendre le sens de l'épisode, qui devient ainsi une sorte de spectacle gratuit. Nous pourrions ajouter : un spectacle de mauvaise qualité, parce que trop réaliste. Audiberti a écrit très justement : « *Le théâtre c'est de ne pas mettre les points sur les i.* [...] *Le théâtre, c'est la réalité moins cinq.* » [1]. La formule est heureuse. Le théâtre, le bon théâtre, doit suggérer, par des mots et par des gestes, tous les événements et tous les sentiments, sans recourir à des artifices extérieurs. C'est l'homme et non l'objet qui fait le spectacle. Je songe à cette scène burlesque et hallucinante de *La Fourmi dans le corps*, que l'on pourrait intituler « le coup de canon ». Bouton-Lacote et D'Osterne, les deux « fourmis » qui ont

1. *Les Jardins et les Fleuves*, p. 30.

lancé un boulet sur la tente de Monsieur de Turenne, viennent informer Pic-Saint-Pop de leur exploit : « — *Pour bien raconter* — affirment-elles — *il nous faudrait un canon.* » Pic se tourne vers le capitaine Colson, qui commande au petit corps de troupe de la principauté de Remiremont : « — *Cela vous concerne, Monsieur.* [...] *Devenez canon. Devenez canon.* » Le soldat proteste, mais Pic à force d'insistance et d'autorité parvient à ses fins ; elle le fait mettre dans une posture allongée, « *en le couchant sur le ventre à même le dossier oblique d'une chaise renversée* » ; elle lui tend un broc de métal, que le capitaine brandit, « *immobile, en avant, dans le prolongement de son corps* ». Les deux nonnes racontent moins qu'elles ne miment leur promenade sur les remparts dans la nuit et le vent. Soudain, elles aperçoivent un « *immense animal obscur, qui brille pourtant* », le canon de Remiremont. Sans penser à mal, elles le braquent dans la bonne direction. Sous prétexte de déchiffrer une inscription, Bouton-Lacote promène la flamme de son cierge au voisinage supposé de la culasse, c'est-à-dire près des reins de Colson. D'Osterne s'exclame : « — *Attention ! Vous êtes juste sur le petit trou.* [...] *Rebraquez votre cierge, Félicie ! Rebraquez-le ! Vous m'entendez ?* » Brûlé au bas du dos, Colson précipite en avant son broc de fer-blanc, qui heurte quelque meuble avec sonorité. Les deux fourmis éteignent leur cierge. Colson se remet debout. » Pic-Saint-Pop n'a plus rien à apprendre. Audiberti a donc réussi ce tour de force de faire tirer un coup de canon sous les yeux des spectateurs, sans qu'il soit nécessaire (ce serait alors du mauvais théâtre) d'apporter une pièce d'artillerie sur le plateau. Il est dommage que Ionesco n'ait pu à son tour transposer son bombardement aérien, à l'aide de symboles scéniques heureusement imaginés.

Si certains effets dramaturgiques sont trop réalistes, d'autres en revanche ne paraissent pas assez explicites. En voici un exemple. Bérenger affirme que « *se maintenir dans les airs sans hélice et sans ailes* » est une question de « *foi* » et de « *volonté* » : « *Il suffit d'une toute petite faille de la volonté et la glissade vers le bas s'amorce. Que de fois, retrouvant le secret en moi-même, ne me suis-je pas dit en m'élançant dans les airs : je sais maintenant, pour toujours, je n'oublierai plus, comme je ne puis oublier d'entendre ou de voir.* (On voit un ballon rouge d'enfant qui descend doucement des cintres sur le plateau). *Maintenant, je n'oublie plus...* » J'avoue que le symbole du ballon m'aurait complètement échappé si je n'avais eu en mémoire le passage correspondant de la nouvelle : « *Je retombais cependant, comme un ballon d'enfant qui se dégonfle petit à petit.* »

La plupart des nuances et des subtilités du récit disparaissent dans la pièce. Le narrateur ne fait pas comme Bérenger un cours sur le néant, mais il se livre à quelques réflexions intérieures, qui lui sont inspirées par la destruction de sa « bicoque ». Comme sa femme devine l'objet de sa méditation, il manifeste son étonnement :

— Comment fais-tu pour t'introduire dans mes pensées secrètes ?
— Je t'écoutais. Je suis attentive, moi.
— Je ne réfléchissais pourtant pas à voix haute. Je n'ai même pas remué les lèvres.
— On n'a qu'à te regarder pour deviner tout ce que tu penses, dit ma fille...

Ces répliques, transportées dans la pièce, n'y ont pas, en réalité, leur place, puisque Bérenger ne cesse de remuer les lèvres, soit qu'il disserte, soit qu'il parle en aparté.

A plusieurs reprises, on a même l'impression que l'auteur tire à la ligne. On relève dans le récit une phrase toute simple : « *J'avais, tout à coup, retrouvé le moyen de voler.* » Dans la pièce, elle donne naissance à quatre répliques, dont trois sont des répétitions :

BÉRENGER. — J'ai retrouvé le moyen, le moyen oublié.
1er ANGLAIS. — Il dit qu'il a retrouvé le moyen.
2e ANGLAIS. — Quel moyen a-t-il retrouvé ?
JOURNALISTE. — Il dit qu'il a retrouvé le moyen de s'envoler.

Non seulement les ressorts se détendent, mais encore le lyrisme cède le pas à la vulgarité. Dans la nouvelle, « *arrivé à l'arête du toit invisible... où se rejoignent l'espace et le temps* », le nar-

rateur avait de l'enfer une vision fantastique comme un tableau
de Jérôme Bosch :

Des sauterelles géantes rongeaient les crânes des imprudents qui
étaient entrés. A la place, on leur mettait des têtes d'oies, des têtes
de renards, des têtes de guenons. Plus loin encore, les truies régnaient
sur des archanges vaincus, sur des anges déchus : elles en avaient
fait des gardes-chiourme et des bourreaux.

Loin d'avoir comme le narrateur la tête poétique, Bérenger
s'exprime de façon franchement grossière :

— J'ai vu... j'ai vu... des oies...
JOHN BULL. — Il a vu des oies. Quel plaisantin...
BÉRENGER. — Des hommes qui avaient des têtes d'oies.
JOURNALISTE. — C'est tout ? Ce n'est pas grand-chose.
BÉRENGER. — Des hommes qui léchaient les culs des guenons,
buvaient la pisse des truies...

Ionesco nous a naguère trop gâtés. Après nous avoir habitués
dans ses œuvres antérieures à un dialogue nerveux et incisif,
il ne nous offre que des répliques languissantes, où parfois la
trivialité tente de suppléer à la vivacité naturelle ; après avoir
déployé sur la scène les trésors d'une riche imagination, il ne
met sous nos yeux que des perles fausses et des objets de paco-
tille. Nous sommes déçus, mécontents, attristés, comme les
spectateurs d'*Agésilas* qui se souvenaient du *Cid*.

je meurs

I L n'est pas cruel, mais il aime trop le plaisir et prête aux flatteurs une oreille complaisante. Les coffres de l'État sont vides, et comme il doit guerroyer en Irlande, il afferme son domaine, exige des riches des contributions « volontaires », fait main basse sur le patrimoine des bannis. Les grands du royaume forment une conjuration. Au nom de la loi, dont il est le légitime représentant, il décide d'écraser la rébellion. Las ! Ses troupes se dispersent ou passent dans le camp de son ennemi Bolingbroke ; quand il commande, personne n'obéit. Seul et désarmé, Richard II attend le coup fatal : « ... *Dans le cercle même de la couronne qui entoure les tempes mortelles d'un roi la mort tient sa cour, et là la farceuse trône, raillant l'autorité de ce roi, ricanant de sa pompe... Comme vous, je vis de pain, je sens le besoin, j'éprouve la douleur, et j'ai besoin d'amis. Ainsi asservi, comment pouvez-vous me dire que je suis roi ?* » (Acte III, scène 2). Un roi qui meurt devient un homme ; complétant la leçon de Shakespeare, Ionesco nous rappelle qu'un homme qui meurt reste un roi.

Parvenu à son heure dernière, Bérenger porte une couronne sur la tête, un sceptre dans la main. Les trompettes saluent son apparition, tandis qu'un garde lui présente les armes. Installé sur le trône, le souverain s'occupe des affaires du royaume et, d'un ton qui n'admet pas de réplique, convoque le conseil des ministres. Le manteau qui couvre ses épaules a la couleur du sang, car pour conquérir et assurer son pouvoir, il a fait massacrer ses parents, ses « *frères rivaux* », ses « *cousins et arrière petits cousins, leurs amis, leur bétail* ». Il justifie les crimes qu'il a commis « *par la raison d'État* », ne manquant pas de préciser : « *L'État, c'est moi.* » Il est Macbeth, il est Sardanapale. Gorgé de volupté, époux de deux reines, il a régné sur une cour brillante et dissolue où chaque jour a vu renaître les jeux et les ris, les bals, les amusettes, les feux d'artifice, les gueuletons et même les séances de strip-tease. Ce tyran oriental, qui ne se résigne pas à sortir de la vie ainsi que d'un banquet, enrage de voir la fête continuer sans lui : « *Ils vont rire, ils vont bouffer, ils vont danser sur ma tombe.* » Il nourrit le fol espoir de humer, outre-tombe, le parfum de l'encens, et de goûter les joies charnelles : « *Que l'on garde mon corps intact dans un palais, sur un trône, que l'on m'apporte des nourritures. Que des musiciens jouent pour moi, que des vierges se roulent à mes pieds refroidis.* » Alors que la vie lui échappe, il est prêt à ordonner un massacre général, pour prouver une dernière fois sa puissance : « *Que la tête du Garde tombe !... Que la tête du Médecin tombe !* », hurle-t-il. Le roi est un loup pour l'homme.

Cependant, s'il condamne sans appel la royauté politique, Ionesco se plaît à lui opposer la royauté spirituelle. Lorsqu'il règne sur ses semblables, Bérenger sombre dans un délire sadique ; en revanche, quand il impose sa loi à la nature, il mérite qu'on lui tresse des couronnes. Assumant la condition humaine dans sa totalité, il est à la fois César et Prométhée. Le Garde énumère les états de services de son maître : « *Il a volé le feu aux Dieux puis il a mis le feu aux poudres* » ; il a inventé la fabrication de l'acier, bâti des villes géantes, construit des automobiles, des avions, obtenu tout récemment la fission de l'atome. Son génie s'est déployé aussi bien dans les arts et les lettres que dans les sciences exactes. Il a écrit sous le nom d'Homère des poèmes épiques, et sous le pseudonyme de Shakespeare des tragédies et des comédies. Par l'intelligence, l'Homme est le roi de l'univers, depuis l'aube des temps et jusqu'à la consommation des siècles.

Toutefois Bérenger est l'Homme et un homme. Il ne meurt pas et il meurt, son pouvoir, éternel et transitoire, s'accroît et diminue. La salle du trône est un living-room délabré, où des mégots traînent par terre. Des lézardes de plus en plus larges apparaissent sur les murs. L'unique machine à laver du Palais a été laissée en gages pour un emprunt d'État. On a beau commander au chauffage central de s'allumer, il ne se met pas en marche. Le soleil refuse de se lever, les montagnes s'affaissent, la mer a défoncé les digues. Certes, suivant les principes de sa dramaturgie personnelle, Ionesco a voulu « concrétiser » la mort de Bérenger ; cependant, du même coup, il a donné des dimensions tragiques à cette vérité banale : lorsqu'un homme cesse de vivre, il emporte dans le tombeau le monde, c'est-à-dire *son* image du monde ; la lumière qu'il voyait s'éteint avec lui, son pouvoir sur les êtres et les choses s'anéantit.

Un matin, le Roi se lève peu dispos. A ses malaises, il n'attribue que des causes bénignes. S'il a mal dormi, c'est que les bruits extérieurs l'ont empêché de se reposer. Il n'est pas malade ; il souffre tout au plus de quelques courbatures : « *D'ailleurs, ça va beaucoup mieux.* » Il a un mauvais goût dans la bouche, il répugne à manger son breakfast, mais il suffira que le médecin de la cour lui donne quelques pillules pour réveiller son appétit et dégourdir son foie. Il ne redoute guère l'échéance fatale : « *Je mourrai, oui, je mourrai. Dans quarante ans, dans cinquante ans, dans trois cents ans. Plus tard.* » Il se sent en pleine possession de ses moyens, s'imaginant que la santé est une affaire de volonté : « *J'y pense, et je guéris. Le Roi se guérit lui-même mais j'étais trop préoccupé par les affaires du royaume.* » La réalité dissipe vite ces illusions. Bérenger tombe comme une masse au pied de son trône ; il refuse qu'on l'aide, se relève seul, mais péniblement, retombe, se relève, retombe... Sa couronne roule sur le sol, son sceptre lui échappe des mains : « *C'est mauvais signe* », murmure-t-il, atterré. Il perd de sa superbe, et, pour la première fois, réclame, humblement, l'assistance d'autrui : « *Je vous en prie, ne me laissez pas mourir. Je ne veux pas.* » Le trépas qui le menace lui semble

un crime de lèse-majesté : « *Les rois devraient être immortels.* »
Abandonnant tout respect humain, il se précipite vers la fenêtre :
« *Braves gens, je vais mourir. Écoutez-moi, votre Roi va mourir.* »
Il espère de son peuple un secours, un miracle : « *Qui veut me
donner sa vie ? Qui veut donner sa vie au Roi, sa vie au bon Roi,
sa vie au pauvre Roi ?* » Au milieu de ses cris de terreur, il
répète : « *Ce n'est pas possible. J'ai peur. Ce n'est pas possible.*
[...] *J'ai trop peur.* » Il sanglote, gémit, se raccroche aux espérances les plus insensées : « *Ce n'est peut-être pas vrai. Dites-
moi que ce n'est pas vrai. C'est un cauchemar. Il y a peut-être
une chance sur dix, une chance sur mille. Je gagnais souvent à la
loterie.* » Peu à peu il se résigne, admettant qu'il n'est plus la
loi. Mais sa révolte éclate de nouveau lorsqu'il pense que dans
quelques instants son corps ne sera plus qu'un cadavre, destiné à pourrir dans la tombe ou à être dévoré par les bêtes
sauvages : « *Je ne veux pas qu'on m'enterre, je ne veux pas qu'on
me donne aux vautours ni aux fauves. Je veux qu'on me garde
dans des bras chauds, dans des bras frais, dans des bras tendres,
dans des bras fermes.* » Comme les héros des tragédies grecques,
le Roi implore Hélios, source de vie et de bonheur : « *O Soleil,
aide-moi Soleil, chasse l'ombre, empêche la nuit. Soleil, soleil
éclaire toutes les tombes, entre dans tous les coins sombres et les
trous et les recoins, pénètre en moi.* » Ensuite, il invoque les habitants de l'Hadès, que bientôt il rejoindra : « *Vous tous, innom-
brables, qui êtes morts avant moi, aidez-moi. Dites-moi comment
vous avez fait pour mourir, pour accepter. Apprenez-le moi.* » La
cour, s'associant à la supplication du roi, récite des litanies qui
s'adressent aux anciens, aux ombres, aux souvenirs : « *— Apprenez-lui la sérénité. — Apprenez-lui l'indifférence. — Apprenez-
lui la résignation.* » Cette cérémonie païenne, substituée à la
prière des agonisants, ne manque ni de poésie ni de grandeur.
Si elle ne délivre pas le malade de son angoisse, elle lui procure
du moins un apaisement relatif, et donne à ses derniers instants
la solennité qui convient.

Les personnages qui entourent et assistent le roi, qui sont-ils ?
Pris dans leur ensemble, ils représentent les « témoins », qui

survivent et perpétuent le souvenir du défunt, en bien comme
en mal ; ils symbolisent l'opinion publique, avec ses contradictions et ses revirements :

— C'est malheureux tout de même, c'est bien dommage, c'était
un si bon roi.
— Il n'était pas commode. Assez méchant. Rancunier. Cruel.
— Vaniteux.
— Il y en avait de plus méchants.
— Il était doux, il était tendre.
— Nous l'aimions bien.

Les opinions favorables sont formulées par la Reine Marie, le
Garde, et la femme de ménage Juliette, les critiques par la
Reine Marguerite et le Médecin.

Dès qu'on les examine individuellement, on s'aperçoit que,
à l'instar de Bérenger, ces personnages jouent divers rôles et
remplissent différentes fonctions. Le Médecin est le seul qui
officiellement porte plusieurs titres : « *médecin du Roi, chirur-
gien, bactériologue, bourreau et astrologue.* » Est-ce une énumération fantaisiste ? Ou bien un souvenir de ces époques où les
alchimistes étaient aussi des chimistes, les astrologues des
astronomes, et les médecins des empoisonneurs ? En tout cas,
ce docteur s'intéresse plus à la maladie qu'au malade ; lorsqu'il arrive au chevet du roi, il déclare : « ... *Je viens directement de l'hôpital où j'ai dû faire quelques interventions chirurgi-
cales du plus haut intérêt pour la science.* » Réduit à l'impuissance, en dépit du savoir dont il se targue, il ne peut que répé-
ter son pronostic pessimiste, avec une insistance pénible :
« *Majesté, vous allez mourir... Sire, vous ne pouvez plus guérir...
Oui, Sire, vous allez mourir...* » Et comme le roi s'insurge contre
son destin : « *Vous n'y pouvez rien, Majesté. Et nous n'y pouvons rien. Nous ne sommes que les représentants de la médecine
qui ne fait pas de miracle.* » Il se borne à observer les signes
de la mort qui approche : « ... *Il respire encore. Les reins ne
fonctionnent plus, mais le sang circule. Il circule, comme ça. Il
a le cœur solide.* » Il s'impatiente même que le malade tarde à
rendre le dernier soupir : « ... *Avec une bonne crise cardiaque,*

*nous n'aurions pas eu tant d'histoire... Ou bien une double pneu-
monie !* » Rien d'étonnant qu'il soit bourreau, encore qu'il
prétende exécuter « *euthanasiquement* » les condamnés. S'il est
astrologue, c'est peut-être pour trouver dans les planètes la
confirmation de son diagnostic : « *En regardant par la lunette
qui voit au-delà des murs et des toits, on aperçoit un vide, dans
le ciel, à la place de la constellation royale. Sur les registres de
l'Univers, Sa Majesté est portée défunte.* » Tireur d'horoscope,
faute d'imaginer l'avenir, il se chargera de « refaire » le passé
du roi, afin de le présenter sous un jour convenable : « *Nous
lui prêterons des sentences édifiantes. Nous soignerons sa légende.
Nous soignerons votre légende, Majesté.* » Préposé à la propagande,
le médecin-astrologue incarne la science inefficace et l'imposture, et surtout il symbolise *l'inhumain*, par son impassibilité
devant la souffrance, son zèle à fabriquer une biographie
mythique où il passera sous silence la douleur, la faiblesse, les
défaillances inséparables de notre condition.

Comme le médecin, Juliette, « *femme de ménage et infirmière* »,
forme contraste avec le roi ; ce n'est plus l'indifférence qui
s'oppose à la douleur, mais le pauvre vivant qui devient pour
le riche mourant un objet d'envie et d'admiration. Le monarque
ne s'était jamais aperçu de l'existence de Juliette. En revanche,
sur le point de partir pour le royaume des ombres, il s'intéresse
soudain à son sort :

LE ROI. — Dis-moi ta vie. Comment vis-tu ?
JULIETTE. — Je vis mal, Seigneur.
LE ROI. — On ne peut pas vivre mal. C'est une contradiction.
JULIETTE. — La vie n'est pas belle.
LE ROI. — Elle est la vie.

Il accepterait avec ravissement de se lever avant le jour, de
laver le linge, de vider les pots de chambre et de frotter les
parquets, si cet esclavage pouvait éloigner le trépas.

En outre, au personnage de Juliette est confiée une double
fonction dramaturgique. D'une part, dans ce drame qui se
passe à huis-clos, c'est elle qui assure la liaison avec l'extérieur ;
elle part à la recherche des ministres, dont elle donne du reste

des nouvelles inquiétantes ; elle apporte un fauteuil d'infirme, lorsque le roi n'a plus la force de se tenir sur le trône, puis une couverture et une bouillotte pour le protéger du souffle froid de la mort. D'autre part, Juliette souligne certains effets. Douée d'un robuste bon sens, il lui arrive de seconder l'action de la reine Marguerite qui fait entendre la voix de la raison. Lorsque le souverain hurle d'épouvante, sa femme déplore cette manifestation incompatible avec la dignité royale ; la chambrière remarque tout bonnement : « *Cela ne sert à rien de crier.* » Toutefois, le plus souvent, Juliette sert d'écho à la reine Marie, qui ne parvient pas à dominer son émotion. Car à la différence du médecin, cette femme du peuple s'aperçoit que ce n'est pas seulement un roi qui meurt, et elle prononce ces paroles où s'exprime l'intelligence du cœur : « *Il n'est plus au-dessus des lois, pauvre vieux. Il est comme nous. On dirait mon grand-père.* » Grâce à Juliette, on respire un peu d'air pur dans ce palais malsain.

De même, le garde a l'âme droite et le cœur simple. Il s'acquitte d'une tâche en apparence purement mécanique, qui consiste à annoncer l'arrivée des personnalités et à faire connaître au peuple les événements de la cour : « *Sa Majesté le Roi délire... La littérature soulage un peu le Roi ! Le Roi marche, vive le Roi ! Le Roi tombe, le Roi meurt.* » Quand le médecin constate les progrès du mal : « *Son cerveau dégénère, c'est la sénilité, le gâtisme* », aussitôt, avec la franchise d'un soldat qui sait mal farder la vérité, le garde publie ce bulletin de santé : « — *Sa Majesté devient gâ...* » ; la Reine Marguerite l'empêche d'achever. Mais le garde n'est pas, seulement un écho sonore ; en récapitulant les travaux et conquêtes de son maître, il glisse une allusion à son propre passé : « *... Je l'aidais, ce n'était pas commode. Il n'était pas commode. [...] Il travaillait dix-huit heures sur vingt-quatre. Nous autres, il nous faisait travailler davantage encore. Il était ingénieur en chef. [...] J'étais son mécanicien.* » Si Bérenger fut le cerveau, son garde n'a cessé d'être la bouche et le bras. A présent, quelque chose est pourri dans le royaume. Marguerite et le médecin conseillent à leur seigneur

d'abdiquer « *moralement, administrativement et physiquement* ».
Indigné, le monarque ordonne de conduire en prison les deux
traîtres. Le garde, chargé d'exécuter la sentence, bredouille :
« *Au nom de Sa Majesté... je vous... je vous arrête.* » Comme il
se montre incapable, malgré ses efforts, de faire un pas en
avant, le médecin remarque, avec un rire sardonique : « *Sire,
l'armée est paralysée...* » En somme, l'impuissance du souverain
se projette sur le serviteur, de même qu'elle se projette sur la
nature entière. Néanmoins il se pourrait aussi que le garde fût
une partie de la personnalité de Bérenger, sa parole et sa
volonté, qui se désagrègent en même temps que sa pensée.
Dans cette hypothèse, le garde serait ambivalent, d'une part
soldat du Roi, d'autre part symbole de certaines facultés
humaines. Doit-on considérer la pièce à la fois comme un
drame et un monodrame, dont les personnages sont simulta-
nément, ou tour à tour, objectifs et subjectifs ?

Ainsi la reine Marie, qui est une épouse, apparaît également
comme une présence intérieure. Jeune, belle, s'habillant chez
les grands couturiers, elle a séduit le roi par la délicatesse de
ses attentions et la sincérité de sa tendresse. Lorsque dans son
délire Bérenger se promène pieds nus, Marie dit à Juliette :
« *Mettez-lui ses pantoufles plus vite. Il va attraper froid.* » Sou-
haitant que le malade ignore jusqu'à la fin la gravité de son
état, elle adjure Marguerite de garder le silence : « *— Ne le
lui dites pas. Non, non, je vous en prie. Ne lui dites rien, je vous
en supplie.* » Depuis son mariage, elle a consolé et réconforté
son seigneur, comme si elle était une seconde mère, le réveillant d'un baiser quand il avait des cauchemars, l'apaisant
durant ses nuits d'insomnie. Elle devinait ses pensées et ter-
minait la phrase qu'il avait commencée dans sa tête. L'intimité a été si profonde que dans le brouillard de l'agonie Bérenger ne distingue plus sa femme de lui-même. Marie lui demande
avec angoisse : « *— M'aimes-tu ? M'aimes-tu ?* [...] *M'aimes-tu
encore ?* [...] *M'aimes-tu en ce moment ? Je suis là... ici... je
suis... regarde, regarde... Vois-moi bien... vois-moi un peu.* » Et
le roi de murmurer cette étrange réponse : « *Je m'aime toujours,*

malgré tout je m'aime, je me sens encore. Je me vois. Je me regarde. »
Ces paroles traduisent-elles l'égoïsme du mourant, prisonnier
de son angoisse ? J'oserais proposer, avec prudence, une autre
interprétation : Marie est au sens littéral de l'expression le
dimidium animae, la *moitié* de Bérenger, ou plus précisément
l'instinct de conservation qui parle en lui. Car elle ne renonce
pas à espérer, même après que le médecin a observé des symptômes non équivoques. Envers et contre tout, elle pousse le
roi à prouver la puissance de sa volonté sur la maladie et la
mort. Quand cette entreprise insensée a échoué, quand il faut
se rendre à l'évidence, Marie change une fois encore de rôle ;
elle devient la Religion et la Philosophie, promettant, à défaut
de l'impossible conservation physique, une survie spirituelle :
« *Exister, c'est un mot, mourir est un mot, des formules, des idées
que l'on se fait.* [...] *Tu es, maintenant, tu es. Ne sois plus qu'une
interrogation infinie : qu'est-ce que c'est, qu'est-ce que... L'impossibilité de répondre est la réponse même...* » Arguments qui sentent
le sophisme, parodie dérisoire du célèbre « *tu ne me chercherais
pas si tu ne m'avais trouvé* ». Marie se souvient encore de l'enseignement du christianisme lorsqu'elle affirme : « *La vie est
un exil.* » Irrité, le roi réplique : « *Je sais, je sais.* » Elle se rabat
alors sur la sagesse antique : « *Tu iras là où tu étais avant de
naître. N'aie pas si peur. Tu dois connaître cet endroit, d'une
façon obscure, bien sûr.* » Bérenger n'a gardé aucun souvenir
de son séjour dans les limbes, il n'en conserve « *aucune nostal-
gie, si ténue, si fugitive soit-elle* ». Changeant ses batteries, la
reine développe des lieux communs sur l'immortalité collective : « *Ce n'est pas fini, les autres aimeront pour toi, les autres
verront le ciel pour toi* » ; Bérenger ne semble pas entendre :
« *Je me meurs* », gémit-il. En définitive, Marie représente la
part affective de l'âme humaine : « *Rire ou pleurer, c'est tout ce
qu'elle sait faire.* » Puissance trompeuse, elle aveugle les vivants,
et parvient assez souvent, à force de cajoleries, à rendre l'existence supportable ; mais ses artifices manquent leur but lorsqu'on souffre et qu'on meurt. L'instant de la mort, c'est aussi
la minute de vérité.

La reine Marguerite l'attendait, sans impatience, pour prendre sa revanche. Le roi ne l'aimait guère, car elle n'est ni jeune, ni jolie, ni élégante, son visage est sévère, et rude le ton de sa voix. Elle annonce que l'heure dernière a sonné. Grande dame infiniment noble, elle méprise les supplications et les sanglots de Marie : « *Beaucoup de gens ont la folie des grandeurs. Vous avez une folie de la petitesse.* » On croirait entendre le roi Ferrante admonestant don Pedro son fils. Elle s'indigne des cris désespérés du monarque : « *Sa peur va nous couvrir tous de honte... Ce n'est plus un roi, c'est un porc qu'on égorge.* » Cet affolement lui paraît absurde et indécent, car enfin mourir « *c'est bien dans la norme des choses, n'est-ce pas ?* » Marie proteste : « *C'est terrible, il n'est pas préparé* » ; Marguerite rétorque : « *Quand je vous rappelais qu'il fallait vivre avec la conscience de son destin, vous me disiez que j'étais un bas-bleu et que c'était pompeux.* » Comme Bérenger se plaint qu'on ne l'ait pas prévenu, elle affirme :

C'est ta faute si tu es pris au dépourvu, tu aurais dû t'y préparer. Tu n'as jamais eu le temps. Tu étais condamné, il fallait y penser dès le premier jour, et puis, tous les jours... [...] A cinquante ans, tu voulais attendre la soixantaine. Tu as eu soixante ans, quatre-vingt-dix ans, cent vingt-cinq ans, deux cents ans, quatre cents ans. Tu n'ajournais plus les préparatifs pour dans dix ans, mais pour dans cinquante ans. Puis, tu as remis cela de siècle en siècle.

On songe à cette fable de La Fontaine où un centenaire

> « *Se plaignait à la Mort que précipitamment*
> *Elle le contraignait de partir tout à l'heure...* »

La « déesse cruelle » ne se laissa pas fléchir :

> « *Tu te plains sans raison de mon impatience...*
> *Ne te donna-t-on pas des avis, quand la cause*
> *Du marcher et du mouvement*
> *Quand les esprits, le sentiment,*
> *Quand tout faillit en toi ?...* »

Dans la pièce de Ionesco, le rôle du Mourant est tenu par Bérenger ; quant à la Mort, je croirais volontiers qu'elle a pris les traits de l'austère Marguerite. La reine a d'ailleurs tout prévu, minutieusement réglé « *les étapes de la cérémonie* », où elle admet que sa rivale Marie a encore une fonction à remplir, car la Mort sait par expérience que les illusions de la vie ne se laissent pas vaincre sans combat. Elle se garde d'une hâte excessive, sûre de son triomphe final. Elle tranquillise le médecin, qui estime que l'agonie se prolonge exagérément : « — *Ce n'est rien. Ne vous inquiétez pas, monsieur le Docteur, monsieur le Bourreau. Ces retours, ces tours et ces détours... c'était prévu, c'est dans le programme.* » A deux reprises, elle se fait forte d'aider le roi à rendre le dernier soupir. Ne rien précipiter, telle est sa devise. Elle attend que Marie, Juliette, le garde, le médecin prennent congé. Restée seule près du mourant, elle coupe avec des ciseaux invisibles les cordes qui encore l'enlacent. Elle le débarrasse des boulets, invisibles également, qui entravaient sa marche, elle lui ôte sa carabine, sa mitraillette, sa boîte à outils, car Bérenger n'aura plus ni à lutter ni à construire. En prodiguant conseil et encouragement, la reine Marguerite le dirige d'une main ferme à travers le dédale de son délire vers le havre du repos éternel. La Mort, dit un personnage d'Anouilh, est bonne,

elle est effroyablement bonne. Elle a peur des larmes, des douleurs. Chaque fois qu'elle le peut, chaque fois que la vie le lui permet, elle fait vite... Elle dénoue, détend, délace, tandis que la vie s'obstine, se cramponne comme une pauvre, même si elle a perdu la partie [...]. La mort seule est une amie. Du bout du doigt, elle rend au monstre son visage, elle apaise le damné, elle délivre. (*Eurydice*, acte III)

Si Marie s'obstine et se cramponne, Marguerite au contraire, dans la dernière scène, apaise et délivre. Comme l'auteur d'*Eurydice*, Ionesco se réconcilie avec la Mort (ou tente de se réconcilier).

Le Roi se meurt et *Fin de partie* sont sans doute les pièces du nouveau théâtre où la présence de la Mort est le plus obsédante. Comme Bérenger, Hamm est un prince déchu et capricieux. Aveugle et paralysé, il exige que son serviteur Clov le pousse autour de la chambre dans un fauteuil d'infirme ; de même, Juliette promène son maître dans des conditions aussi précaires. Clov décrit à Hamm le spectacle de fin du monde qu'il aperçoit des fenêtres de leur abri ; de même, le soleil ne se lève plus sur le royaume de Bérenger, la terre se fend, « *les arbres soupirent et meurent* ». Des analogies se découvrent jusque dans le détail. Ainsi Marguerite dit au roi : « *Ces graines ne repousseront pas, la semence est altérée, c'est de la mauvaise graine.* » Or lorsque Hamm interroge son compagnon : « *— Tes graines ont levé ?* », celui-ci répond : « *— Non... Si elles devaient germer, elles auraient germé. Elles ne germeront jamais.* » Pourtant, en dépit de ces traits communs, les deux pièces ont une signification différente. Si le temps s'accélère dans *Le Roi se meurt*, il ralentit dans le drame de Beckett. Bérenger voit le monde extérieur en train de s'effondrer, alors que les protagonistes de *Fin de Partie* constatent que « *rien ne bouge* », que tout est « *mortibus* », qu' « *il n'y a plus de marée* », qu' « *il n'y a plus de nature* ». Marguerite chronomètre l'agonie de son époux avec une précision d'horloge parlante : « *Tu vas mourir dans une heure et demie... Tu vas mourir dans une heure vingt-quatre minutes quarante et une secondes... Il nous reste trente-deux minutes trente secondes... Il te reste un quart d'heure.* » Au contraire, les pendules ont depuis longtemps disparu du domaine de Hamm. S'il s'oublie jusqu'à demander : « *— Quelle heure est-il ?* » Clov lui fait flegmatiquement observer : « *— La même que d'habitude.* » Non que le temps ait suspendu son vol : « *Instants sur instants* — remarque Hamm —, *plouff, plouff, comme les grains de mil de... ce vieux Grec, et toute la vie on attend que ça vous fasse une vie* ». Comme le signale Ross Chambers,

le vieux Grec en question est probablement Zénon, qui, dans une de ses paraboles les moins connues, imagine que l'on verse sur un tas de millet des quantités toujours plus petites : quelques mesures, un grain, la dix millième partie d'un grain et ainsi de suite. Et pour Hamm et Clov ceci est devenu le symbole d'un processus interminable au cours duquel le « tas impossible » n'est jamais terminé. [1]

1. *Cahiers Renaud-Barrault*, octobre 1963, p. 48.

Chez Beckett, le temps s'écoule de plus en plus lentement sans jamais s'arrêter, tandis que chez Ionesco c'est une flèche qui file et s'immobilise en vibrant dès que le but est atteint. Hamm soupire : « *la fin est dans le commencement et cependant on continue* » ; au contraire, Bérenger par deux fois déclare que « *ce qui doit finir est déjà fini* ». Lorsque le rideau tombe sur *Fin de partie*, Nell *semble* morte, mais Hamm et Clov sont toujours en vie ; l'action a un peu progressé mais nous sommes encore loin du dénouement, à supposer que se produise un jour un dénouement. Bien que Clov, en tenue de voyage, *semble* prêt à quitter son maître, il reste immobile. A l'opposé, les personnages de Ionesco disparaissent les uns après les autres, brusquement, comme s'ils tombaient dans une trappe, à l'exception du roi, qui reste visible quelque temps « *avant de sombrer dans une sorte de brume* ».

Beckett nous offre une image de l'éternité. Ses personnages, malgré qu'ils en aient, n'en finissent pas de mourir. Dans un moment de révolte contre son tyran, Clov gronde entre ses dents : « — *Si je pouvais le tuer je mourrais content.* » Or une occasion se présente ; Hamm qui ne demande pas mieux que de quitter son affreuse existence propose un marché : « ... *Je te donne la combinaison du buffet si tu jures de m'achever* » ; Clov décline l'offre : « — *Je ne pourrais pas t'achever.* » C'est moins le *vouloir* qui lui manque, que le *pouvoir*. Lorsque dans *Huis-clos* Estelle se précipite sur son ennemie et lui porte plusieurs coups de coupe-papier, Inès éclate de rire : « *Qu'est-ce que tu fais, qu'est-ce que tu fais, tu es folle ? Tu sais bien que je suis morte.* [...] *C'est déjà fait, comprends-tu ? Et nous sommes ensemble pour toujours.* » Garcin a raison d'affirmer que « *l'enfer, c'est les Autres* ». Clov rappelle durement à Hamm qu'il est responsable de la mort de la mère Pegg ; toutefois lui-même a le sentiment qu'il expie ses fautes passées et que jamais il ne bénéficiera d'une remise de peine : « — *Je me dis — quelquefois, Clov, il faut que tu arrives à souffrir mieux que ça, si tu veux qu'on se lasse de te punir — un jour. Je me dis — quelquefois, Clov, il faut que tu sois là mieux que ça, si tu veux qu'on te laisse*

partir — un jour. [...] *Bon, ça ne finira donc jamais, je ne par-
tirai donc jamais.* » Sous le soleil de Satan, d'après Bernanos,
« *le désespoir même est étale,* [...] *l'océan sans rivages n'a ni flux
ni reflux* », et le pauvre petit curé d'Ambricourt nous avertit
que « *l'enfer, c'est de ne plus aimer* ». Or Hamm et Clov, condamnés à un tête à tête éternel, ne s'aiment pas. Hamm se
figure que son compagnon reste avec lui parce qu'il éprouve
de la pitié, « *une sorte de grande pitié* ». Il tente de se leurrer,
alors que Clov refuse de jouer cette comédie, qu'il juge indigne :

HAMM. — Embrasse-moi. Tu ne veux pas m'embrasser ?
CLOV. — Non.
HAMM. — Sur le front.
CLOV. — Je ne veux t'embrasser nulle part.

L'homme resserré sur lui-même, muré en lui-même, c'est
l'image de l'Enfer. Beckett croit à l'éternité, à une éternité de
souffrances. Hamm ne pardonne pas à Nagg de lui avoir donné
le jour : « — *Maudit progéniteur !* [...] *Salopard ! Pourquoi
m'as-tu fait ?* » Ces malédictions trouvent un écho dans *Le Roi
se meurt* : « — *Maudits parents* », s'écrie Bérenger. Cependant
l'anathème a une signification différente. Hamm refuse la vie
parce qu'on n'y connaît pas un seul instant de bonheur ; Bérenger au contraire aime tellement le doux royaume de la terre
qu'il se désespère de le quitter : « — *Pourquoi suis-je né si ce
n'était pas pour toujours ?* » D'après *Fin de partie*, l'existence
est une comédie atroce et absurde ; lorsque Hamm demande
timidement : « — *On n'est pas en train de... de... signifier quelque
chose ?* » Clov ricane : « — *Signifier ? Nous, signifier ! Ah elle
est bonne !* »

Au pessimisme fondamental de Beckett s'oppose l'optimisme
relatif de Ionesco. Le passage de Bérenger dans ce monde
n'aura pas été vain. Le Roi a commis quelques crimes, il est
vrai, mais il a par son intelligence dominé la matière, et, après
les affres de l'agonie, brèves d'ailleurs par rapport à la durée
de la vie, il mérite de goûter un repos qu'aucun rêve ne trou-
blera. S'il laisse son œuvre inachevée, d'autres prendront la
relève. Le Roi est mort ! Vive le Roi !

épilogue provisoire [1]

CE père tranquille monte dans une périssoire. C'est la première fois qu'il essaye de ramer. Sans s'éloigner de la côte où il a laissé sa femme et sa fille, laborieusement il s'évertue. Les débuts sont pénibles et il manque de chavirer. Mais soudain, emporté par les courants, il gagne la haute mer et découvre des continents dont il ne soupçonnait pas l'existence. Apercevant d'autres embarcations que poussent les mêmes vents, il dompte son effroi initial. Sans doute n'est-ce point en navigateur solitaire qu'il met le pied sur un sol inconnu. Du moins, il n'a vogué dans le sillage de personne, et lorsqu'il arrive, il sait se tailler un fief bien à lui dans l'immense domaine.

*

Le nouveau théâtre, puisqu'il faut l'appeler par son nom, n'est pas le fait d'une école, dont les membres, comme jadis les romantiques et naguère les existentialistes, se réuniraient dans des cercles, des cafés, afin d'élaborer une doctrine commune. Au contraire, des écrivains isolés ont découvert ou redécouvert, sans s'être consultés, les mêmes principes dramaturgiques. L'auteur de *La Cantatrice chauve* a signalé ce « consensus des subjectivités » :

1. Une partie de cet « épilogue » a été publiée dans les *Annales* de la Faculté des Lettres de l'Université d'Athènes (année 1963).

Si nous sommes plusieurs à voir les choses d'une manière semblable, si les uns confirment les autres, si un style se dessine, c'est que ce que nous écrivons a du vrai, objectivement conduit. Certains peuvent s'en réjouir ou non, mais on ne peut rien contre un mouvement qui se développe, contre une expression *libre* et *spontanée* [...] d'une vérité du temps, d'un art vivant. C'est ainsi que naissent les écoles sans chefs, sans maîtres d'écoles. (*Notes*, 230)

Les affirmations de Ionesco ne doivent certes pas être prises comme paroles d'évangile ; mais il faut reconnaître que ce qu'il dit de ses propres pièces s'applique en général parfaitement aux œuvres de ses confrères.

Qu'est-ce donc que le nouveau théâtre ? Un théâtre d'avant-garde ? Ionesco estime à juste titre cette qualification aléatoire, sinon inexacte. Une avant-garde représente un groupe organisé et discipliné, alors que les écrivains du nouveau théâtre se comportent en francs-tireurs. Une avant-garde est suivie du gros de la troupe ; or qui oserait prédire que les dramaturges présents et à venir rejoindront en masse les positions du nouveau théâtre ? Mieux vaut d'abord définir cette « école » en termes de rupture.

Il s'agit en effet, suivant Ionesco, d'un anti-théâtre, « *anti-thématique, anti-idéologique, anti-réaliste-socialiste, anti-philosophique, anti-psychologique de boulevard, anti-bourgeois* » (*Notes*, 161). C'est un théâtre qui proteste contre la littérature engagée et l'engagement d'une façon générale, qui dénonce les *mots*, dont on a usé et abusé. « Démocratie », dans la bouche de la mère Pipe, signifie « dictature », « justice » veut dire « arbitraire », « démystification » a le sens de « mystification ». Avant son adhésion au communisme, Adamov partageait ce point de vue. Les événements qui ont ensanglanté la première moitié du siècle, le délire qui s'est emparé de certains chefs d'états et de partis, l'inefficacité patente des hommes de bonne volonté ont inspiré aux dramaturges des sentiments pessimistes ou des opinions nihilistes. Le nazisme s'est effondré ; mais d'autres systèmes, qui aux heures sombres avaient fait naître un immense espoir, sont loin d'avoir tenu leurs promesses. *La Grande et la*

Petite Manœuvre, pièce d'Adamov représentée en 1950, illustre de façon saisissante cette trahison, qui est moins une trahison des hommes qu'une trahison des faits. Un des protagonistes, désigné comme le Militant, vit intensément sa foi révolutionnaire. A ses camarades, il adresse ces paroles messianiques : « *Nous sommes liés par la même attente, le même espoir. Le monde sera sauvé.* » Arrêté et torturé par la police du pouvoir établi, il pardonne à ses bourreaux : « *Vous n'êtes pas nos ennemis. Ce que vous faites, ce n'est pas vous qui le faites. Vous croyez nous frapper avec vos mains, mais vos mains ne vous appartiennent pas. Ce sont eux qui les dirigent. Eux qui vous trompent depuis toujours.* » La révolution triomphe, cette révolution pour laquelle il a souffert dans sa chair et dans son âme ; il est promu aux plus hautes fonctions. Mais aussitôt il doit faire face à une situation tragique. Des grèves éclatent dans le pays ; le Militant ne peut ni ne veut comprendre : « *Je suis sûr* », dit-il à sa femme, « *que l'on a beaucoup exagéré l'importance de ces refus de travail. Il suffira d'arrêter les provocateurs, et de parler aux autres.* » Le Militant croit encore à la puissance du Verbe ; mais il ne tarde pas à être débordé par ses troupes qui, sans attendre ses ordres, tirent « *dans le tas* ». Fidèles à leur noble idéal, les héros et les martyrs se sont changés en bourreaux.

Si les nouveaux dramaturges estiment pernicieuses les idéologies politiques, ils considèrent comme nulles et non avenues les spéculations métaphysiques ; l'absolu est à leur avis hors de la portée des hommes, et il est vain d'attendre une révélation. Dans *Les Chaises,* le Vieux prétend avoir « *un message à communiquer à l'humanité* » ; l'Orateur qu'il a engagé, sourd et muet, trace péniblement au tableau noir des suites de lettres incompréhensibles. Ce thème a été également illustré par Adamov et Beckett. Dans *L'Invasion,* Pierre s'efforce de déchiffrer, suivant une méthode scientifique, le manuscrit de Jean, philosophe disparu prématurément. Or, après des années de travail acharné, tout ce qu'il a tiré de l'ombre « *reste désespérément sans relief, plat* ». Au dénouement, Pierre déchire tous les papiers de Jean et se suicide. Dans la célèbre pièce de Beckett,

Vladimir et Estragon attendent Godot, qui devrait leur apporter sinon le bonheur, du moins une explication ; mais Godot ne vient pas... En revanche surviennent Pozzo et Lucky. Sur l'ordre de son maître, Lucky se met à penser ; les deux clochards écoutent au début avec une attention soutenue, espérant sans doute connaître la clef de leur destin, mais ils ne perçoivent que des paroles incohérentes, aussi dépourvues de sens que les grognements et gribouillages de l'Orateur.

Ainsi le nouveau théâtre dresse le bilan de faillite des mots. Cette position philosophique a une conséquence dramaturgique immédiate : renversant la hiérarchie établie par le théâtre conventionnel, le nouveau théâtre attache plus d'importance aux images scéniques qu'au dialogue. S'il renonce à communiquer des idées ou des réflexions morales, par essence incommunicables, il s'efforce en revanche de faire éprouver, de transmettre (comme se transmettent les maladies) des états d'âmes. Pour brosser le tableau de la grande peur et des misères du IIIe Reich, Brecht montre une femme juive obligée de quitter le mari qu'elle adore, des parents qui tremblent devant leur fils inscrit aux Jeunesses hitlériennes. A grand renfort de monologues et de dialogues, il esquisse la psychologie de ses personnages, placés dans un milieu social déterminé, à un moment particulier de l'Histoire. Le spectateur actuel ne se sent plus directement concerné, car l'action ne présente pour lui qu'un intérêt rétrospectif. Quand on lui rappelle ce que fut l'Allemagne de 1934, il se carre dans son fauteuil, soulagé de vivre en 1965, et accorde aux drames d'autrefois une pensée compatissante. Avec Ionesco, il ne s'en tire pas à si bon compte. Il entend la galopade des rhinocéros, dont les barrissements l'assourdissent, il voit, sur la scène même, un homme comme lui se transformer en bête fauve. Fasciné, il participe à l'action, quelque invraisemblable qu'elle soit.

Dans le cas présent, le sens de l'image est clair : la « rhinocérite » correspond à toutes les formes d'hystérie collective, « *dont les idéologies ne sont que les alibis* » (*Notes*, 177). Mais il se peut que l'image ne présente aucune signification évidente,

qu'on ne puisse la rattacher à aucune réalité précise, ou au
contraire, ce qui revient au même, qu'on la rattache à une
multitude de réalités. Les critiques se sont interrogés, par
exemple, sur le symbole du couple Pozzo-Lucky. Leurs hypothèses sont toutes valables, et aucune n'est valable. Car le
spectateur n'a pas le temps de réfléchir, il vit ce qu'il voit ;
tel est le but que s'est proposé le dramaturge. Un cri terrible
retentit. Sort de la coulisse un être sans âge, plié en deux,
portant une lourde valise, un siège pliant, un panier à provi-
sions ; autour du cou, une longue corde, de sorte qu'il arrive
au milieu du plateau avant que paraisse le « conducteur »,
fouet en main. La corde se tend, Pozzo tire violemment dessus.
Tandis que son maître s'installe pour casser la croûte, Lucky
« *ploie lentement, jusqu'à ce que la valise frôle le sol, se redresse
brusquement, recommence à ployer. Rythme de celui qui dort
debout* ». Si le spectateur éprouve de la terreur et de la pitié,
ces sentiments ne lui sont pas inspirés par l'intermédiaire de
répliques et de tirades, mais immédiatement par une image
insolite. Certes, on a pu voir, sous certains cieux et à certaines
époques, un homme réduit par un autre à l'état de bête de
somme ; toutefois on n'a guère l'occasion, dans les circonstances actuelles (en France, du moins), de rencontrer pareil
attelage sur le grand chemin. C'est une vision de cauchemar.

Le nouveau théâtre a un caractère onirique. Non que les
dramaturges se contentent de transcrire fidèlement leurs songes
(Adamov, il est vrai, prétend avoir procédé de cette manière
dans *Le Professeur Taranne*, exception sans doute qui confirme
la règle) ; rien chez eux ne relève de l'écriture automatique,
les effets au contraire sont soigneusement calculés. Néanmoins,
leurs œuvres tendent à plonger le spectateur dans un état
d'hypnose ; comme les rêves, elles comportent une succession
d'images étranges, qui font naître l'émotion. Lorsque le rideau
tombe, le spectateur se réveille. Pendant les jours qui suivent,
il s'interroge sur le sens de son « rêve ». Peu importe l'interprétation à laquelle il aboutira ou n'aboutira pas. L'essentiel,

c'est qu'il s'interroge ; son trouble, son inquiétude prouvent que la pièce est réussie.

*

Les dramaturges de la nouvelle école détruisent le temps conventionnel avec une audace tranquille. La pendule des Smith frappe tantôt dix-sept coups, tantôt moins, parfois plus, sans raison apparente. Comme dit son propriétaire, « *elle a l'esprit de contradiction. Elle indique toujours le contraire de l'heure qu'il est* ». Cette fantaisie ne gêne nullement le capitaine des pompiers, qui déclare avec un parfait sang-froid : « — *Puisque vous n'avez pas l'heure, moi, dans trois quart d'heure et seize minutes exactement j'ai un incendie, à l'autre bout de la ville.* » Dans la pièce d'Adamov intitulée *La Parodie*, on voit « *une horloge municipale faiblement éclairée et dont le cadran ne porte pas d'aiguilles* » ; l'Employé a beau demander « *quelle heure peut-il être ?* », personne ne veut ou ne peut lui répondre. De même, Vladimir et Estragon attendent Godot au pied d'un arbre, dénudé au premier acte, couvert de feuilles au second. Combien de temps s'est-il écoulé entre ces deux parties de l'action ? Un jour, un an, un siècle ? Nous ne le saurons jamais, et cela n'a aucune importance. Comme dit Pozzo, « *vous n'avez pas fini de m'empoisonner avec vos histoires de temps ? C'est insensé ! Quand ! Quand !* »

Le temps objectif est remplacé par le temps subjectif, dont l'examen permet naturellement de préciser l'originalité de chaque dramaturge. Le temps chez Adamov procède par bonds, avec des solutions de continuité. La plupart de ses pièces sont constituées de tableaux juxtaposés qui se succèdent presque instantanément, dans un « enchaînement quasi cinématographique ». Les six premiers tableaux de *La Parodie* présentent l'Employé comme un homme encore jeune ; au septième tableau, sans transition, ce personnage est devenu un vieillard. Dans *Tous contre tous*, la voix neutre d'un annonceur de la Radio ponctue l'action dont elle indique les différentes péri-

péties. Des communiqués nous apprennent ainsi que les « réfugiés » étant à l'origine de divers incidents, le Pouvoir a décrété
quelques mesures vexatoires. Peu après, l'étau se resserre ;
tous les réfugiés doivent être recensés ; ceux qui se déroberont
seront immédiatement dirigés vers des centres de travail,
euphémisme pour désigner les camps de concentration. Enfin,
on établit une ségrégation complète entre les autochtones et
les réfugiés, maintenant désignés comme des ennemis publics
qu'il faut, sans exception, mettre hors d'état de nuire. Or,
brusquement, le ton change. La Radio porte à la connaissance
de la nation que « *les réfugiés bénéficieront désormais* [...] *des
mêmes avantages que les autochtones* ». Le régime a été renversé,
et une démocratie, selon les apparences, a remplacé la dictature raciste. En utilisant le temps « historique », Adamov s'en-
gageait déjà sur la voie du réalisme socialiste, qu'il devait
quelques années plus tard adopter.

Il arrive que le temps chez Beckett soit marqué par le rythme
de la nature. A l'acte II de *Godot*, l'arbre s'est couvert de
feuilles, alors que Pozzo a perdu la vue, et Lucky la parole.
Cette opposition entre la Nature qui revit sans cesse et l'homme,
« humble passager », n'est évidemment qu'un lieu commun poétique, rajeuni ici par des images scéniques. Mais de façon constante le temps a un caractère métaphysique dans les œuvres de
cet écrivain. Didi et Gogo, las d'attendre, décident de s'en aller,
et pourtant ils restent sur place. S'ils manifestent des velléités
de suicide, ils ne peuvent se résoudre à faire le geste définitif.
De même, Hamm et Clov n'en finissent pas de mourir, bien
qu'ils appellent la mort. Perdue au milieu d'un désert, enterrée
jusqu'au-dessus de la taille, Winnie possède un pistolet dont
elle ne servira jamais ; à l'acte II, elle est enterrée jusqu'au
cou... La pièce se termine avant que l'héroïne soit tout entière
ensevelie. Le sera-t-elle un jour ? Les pièces de l'écrivain irlandais sont construites en spirales ; bien qu'elle tourne sur elle-
même, l'action progresse, s'élève. Vers quel but ? La question
reste posée.

En revanche, si la structure des premières œuvres de Ionesco est circulaire, il s'agit d'un cercle parfait, inscrit sur un plan et non dans l'espace. La dernière scène de *La Cantatrice chauve* et de *La Leçon* est identique à la première. Toutefois entre ces deux limites extrêmes, l'agressivité des personnages n'a cessé de croître ; les Smith et les Martin en sont venus aux mains, le professeur a poignardé son élève. Une fois les passions satisfaites, le calme est revenu brusquement. Mais comme les passions sont des hydres toujours renaissantes, à peine terminée, la comédie recommence. Une pièce, d'après l'auteur, est constituée « *d'une série d'états de conscience, ou de situations, qui s'intensifient, se densifient, puis se nouent, soit pour se dénouer, soit pour finir dans un inextricable insoutenable* » (*Notes*, 219). On ne peut proposer une meilleure définition de son théâtre.

L'accélération du temps, l'intensité de l'émotion suivie d'une brusque détente qui donnent à la plupart de ses œuvres un rythme original, Ionesco les rend sensibles par des images constamment renouvelées. Le conflit entre Jacques et sa famille ne cesse de devenir plus aigu, avec des armistices passagers, que la reprise des hostilités rend bientôt caducs. Le jeune homme ne manifeste d'abord que de l'aversion pour sa fiancée, peu à peu il s'intéresse à elle, et finit par ressentir un désir, ardent au point que la flamme consume le cheval sauvage. Pourtant la « trouvaille » de Ionesco, dont il va tirer un plein parti dans la suite, c'est d'avoir donné à Roberte deux puis trois nez. La multiplication des objets rythme pour ainsi dire le mouvement de ses pièces : œufs, chaises, tasses et croûtes de pain, meubles, rhinocéros, champignons et cadavre (dans ce dernier cas, si l'objet est unique, par compensation il grandit). La charge émotionnelle varie naturellement avec la nature des objets. Bien que ce soit toujours la même pièce par la forme, le contenu change. D'autant plus que dans *Amédée*, *Tueur sans gages* et *Rhinocéros*, l'écrivain introduit un élément emprunté au théâtre traditionnel, et rigoureusement banni de ses premières œuvres : le Personnage. Madeleine et son pitoyable époux, Bérenger et ses compagnons sont des types humains qui essayent comme vous et moi d'exprimer leurs sentiments à l'aide de pauvres mots, tandis que les Smith et les Martin, les Robert et les Jacques ne sont que des robots en folie.

Que Ionesco se soit « assagi », la chose ne fait pas de doute. *Rhinocéros* représente à mon avis un équilibre parfait entre l'ancien et le nouveau théâtre, auxquels l'écrivain a pris ce qu'ils avaient de meilleur : au nouveau, l'image saisissante, brutale, les hardiesses de la mise en scène et du dialogue ; à l'ancien, un héros à notre image (bien qu'il ne soit pas notre image).

Les deux pièces qui ont suivi laissent paraître un refroidissement de la veine dramaturgique. Ionesco a le souffle puissant, mais court. Lorsqu'il écrit une pièce un peu étendue, l'acte III est moins dense que l'acte Ier, le rythme fléchit. Du moins, la progression se poursuit-elle jusqu'au dénouement, même si, dans la dernière partie de la course, les moteurs de l'action ont des ratés. En revanche, *Le Piéton de l'air* est une fusée qui fait long feu. Les images sont trop réalistes ou trop simplistes, les réflexions de Bérenger sur la littérature et les littérateurs, ses discours sur l'anti-monde et le néant trouveraient mieux leur place dans un journal à prétentions intellectuelles ou dans une revue de pataphysique. De plus, on peut dire qu'il n'y a pas d'action, parce qu'il n'y a pas d'antagonismes. Bérenger fait bon ménage avec tout le monde ; si c'est sympathique, ce n'est pas dramatique.

Certes, dans *Le Roi se meurt*, il existe un antagonisme entre les deux reines, mais qui apparaît à la fois systématique et superficiel. Dès le début, on sait que Marguerite l'emportera sur Marie. Dès le début, on sait que le combat de Bérenger contre la mort est perdu d'avance. La progression de l'action est trop attendue, trop constante.

Cet essoufflement ne sera sans doute que provisoire. Ionesco s'est arrêté pour reprendre haleine. Il refuse de fouler plus longtemps le sentier qu'il s'est frayé à travers les ronces, parce que le sentier, devenu voie royale, l'a conduit droit à la gloire. Il aime la difficulté, il aime la découverte ; donc l'avenir lui appartient.

Un chef-d'œuvre dramatique, d'après Ionesco, « *a un caractère supérieurement exemplaire : il me renvoie mon image, il est
miroir, il est prise de conscience...* » (*Notes*, 18). Ce miroir, à
vrai dire, n'est pas flatteur. Adamov montre l'homme persé-
cuté de l'intérieur par ses complexes et de l'extérieur par ceux
qui n'appartiennent ni à sa classe ni à sa race. Les clowns de
Beckett s'ennuient et essayent de se divertir, prouvant ainsi la
misère de l'homme sans Godot. L'amour même n'apporte
que bien peu de consolation. L'acte charnel apparaît comme
grotesque ou répugnant : « *La tristesse au sortir des rapports
sexuels intimes* — soupire Winnie, — *celle-là nous est familière, certes. Là-dessus, tu serais d'accord avec Aristote, Willie,
je pense.* » (*Oh, les beaux jours !*). On discerne pourtant une sorte
de tendresse entre Winnie et Willie, comme entre Nell et Nagg,
encore qu'elle soit inefficace. Plus pessimiste que son confrère,
Adamov estime l'amour impossible : Lili ne viendra pas au
rendez-vous fixé par l'Employé (*La Parodie*), Agnès abandonne
Pierre (*L'Invasion*), Marie quitte Jean (*Tous contre tous*), Erna
se moque du Mutilé (*La Grande et la Petite Manœuvre*). A première vue, Ionesco ne nous offre guère un tableau plus réjouis-
sant. Ses images évoquent deux impulsions essentielles à
l'homme, refoulées dans les ténèbres de l'inconscient : l'agressivité et la sensualité. Il arrive à Éros de prendre un masque
affreux ou répugnant ; le Professeur ouvre le ventre de sa jeune
élève, la Vieille découvre sa poitrine frippée, soulève ses jupes,
écarte les cuisses, le gros Monsieur se frotte contre un portrait
de femme pour goûter des jouissances solitaires. Toutefois, en
d'autres circonstances, Éros redevient le petit dieu charmant
de la légende. Jacques est infiniment heureux entre les bras
de Roberte, et l'amour seul, l'amour trouvant sa fin en soi
lui fait oublier le cauchemar de l'existence, et pare la réalité
triviale de beautés poétiques. L'amour peut même inspirer des
vertus, voire la Vertu, au sens latin du mot ; c'est parce qu'il
est amoureux de Dany que Bérenger I est résolu à démasquer
le Tueur. Oui, l'instinct a du bon. Bérenger II n'est pas un intellectuel comme Dudard, mais il résiste aux rhinocéros, et avec

d'autant plus de vigueur, qu'il obéit aveuglément à une impulsion naturelle.

Toutes réflexions faites, je parie pour Ionesco. Son œuvre
contient une prophétie optimiste que les événements sont en
train de confirmer. Quand cet obscur petit-bourgeois transcri-
vait les phrases de la méthode Assimil, la mère Pipe défilait
avec ses oies sur les places publiques. Elle pouvait se flatter
d'être à la tête d'un bloc dont elle espérait maintenir la cohé-
sion grâce aux procédés les plus modernes d'abrutissement :
journaux, magazines illustrés, films, radio, télévision. Tandis
que ses troupes criaillaient, sifflaient, et cacardaient, parfois
une voix humaine se faisait entendre : « — Je ne capitule pas ! »
Protestation en apparence platonique, dérisoire. Et voilà que de
petites fêlures sillonnent la surface du monolithe. La mère
Pipe essaye de les luter ; grâce à ses soins diligents, elles
deviennent des crevasses. D'élections en congrès, de congrès
en conciles, à travers le monde les signes se multiplient. Les
rhinocéros reçoivent sur la corne de rudes coups de bâton. Le
règne de Bérenger approche.

Dans le prologue, j'ai dit pour quelle raison je n'ai pas cherché à entrer en rapport avec Ionesco avant d'avoir écrit une étude sur son théâtre. Toutefois, le livre achevé, j'ai pensé que la courtoisie la plus élémentaire envers un auteur à qui je dois quelques-unes de mes joies les plus rares m'imposait de lui soumettre le manuscrit ; j'avais du reste mauvaise conscience, car si j'ai manifesté mon admiration pour la plupart de ses œuvres, je ne me suis pas privé de formuler des critiques, trop dures peut-être, du moins en ce qui concerne *Le Piéton de l'air*. Sans rancune, Ionesco a accepté d'engager la discussion, et c'est un agréable devoir de lui en exprimer ma reconnaissance. Dans sa dernière lettre, il attire mon attention sur ce qu'il appelle « *deux ou trois petites choses* », qui sont en réalité des choses importantes.

> *Monsieur et Cher Ami,*
>
> *Il y a longtemps que je veux vous écrire au sujet du livre que vous avez bien voulu écrire sur moi. Je n'en ai pas encore tout à fait le temps, mais je puis vous dire que je l'ai lu il y a quelques mois et qu'il m'a paru très intéressant, même si naturellement tout ne me convient pas, ce qui est tout à fait naturel car quel est l'auteur qui serait tout à fait heureux de ce qu'on pense de lui : si on ne dit que du mal, il crie à l'injustice ou à l'incompréhension, si on ne dit que du bien, il soupçonne qu'on l'estime par malentendu.*
>
> *Dans mon esprit, Madeleine de Comment s'en débarrasser n'est pas « antipathique » ; c'est l'homme qui est déplorable. Vous*

voyez, il s'enfuit, il déserte. Il laisse Madeleine, la malheureuse plantée là ; abandonnée. Madeleine est une victime, et j'espérais la rendre d'autant plus touchante qu'elle reste là, toujours à son poste.

Ionesco me rappelle ensuite que *Le Piéton de l'air*, maltraité par la critique parisienne (et pour des motifs qui parfois n'ont qu'un rapport lointain avec le théâtre), a suscité

*à tort ou à raison l'enthousiasme d'Aragon, de Pieyre de Mandiargues, de Ponge, de Sperber et d'autres poètes et écrivains, et qu'elle a plu au public au bout de vingt représentations lorsque l'éreintement des critiques a été oublié. Jouée en Angleterre, on a dit de cette œuvre, dans l'*Observer, *qu'elle représentait « Ionesco at the best ». Toutefois, cela n'est pas très important. Ce qui m'afflige, c'est que vous ayez mal jugé le personnage central féminin, dont vous dites qu'elle est une petite-bourgeoise conformiste. Je ne le pense pas. Elle est toute à son amour, surmontant ses propres terreurs, elle s'est donnée toute à Bérenger, son époux un peu trop volant, et elle n'a que le souci de celui-ci : amour et peur pour lui ; c'est la capacité d'amour de Joséphine que j'ai essayé d'exprimer, ainsi que, à travers elle, la solitude féminine dans un monde féroce. L'amour n'est pas petit-bourgeois. Contrairement à ce qu'on pense, je crois que dans mes pièces, c'est la femme qui, malgré ses défauts, est mise en bonne lumière, en meilleure lumière que l'homme.*

Ce plaidoyer de Ionesco en faveur de ses héroïnes, cette apologie de la femme et de l'amour, ce jour nouveau projeté soudain par le créateur sur son œuvre m'ont paru constituer une mise au point décisive ; c'est pourquoi j'ai cru bon, avec l'aimable autorisation du dramaturge, de la mettre sous les yeux de ceux qui, comme moi, plaignent Amédée, aiment Bérenger, mais risquent de se montrer un peu trop sévères à l'égard de Dany, Daisy, Madeleine ou Joséphine.

Athènes, 18 octobre 1965.

I. — ŒUVRES DE IONESCO

Martin Esslin, dans *Théâtre de l'Absurde*, a consciencieusement dressé la liste des pièces, des récits et des articles du dramaturge ; il suffit donc de signaler les productions récentes.

A. Théâtre.

Nouvelle édition de *La Cantatrice Chauve*, suivie d'une scène inédite. Interprétation *typographique* de Massin et *photo-graphique* d'Henry Cohen. Gallimard, 1964.

La Lacune, représentée au Centre du Sud-Est (cf. compte rendu de Claude Sarraute dans *Le Monde* du 18 février 1965).

La Soif et la Faim, trois épisodes publiés dans la *N.R.F.* (1er février, 1er mars, 1er avril 1965).

B. Articles.

« Critiques, vous vivez de moi ! », *Le Figaro littéraire*, 30 mars 1963.

« Bosquet ne lit pas les œuvres qu'il discute », *ibid.*, 6 avril 1963.

« L'auteur et ses problèmes », *Revue de Métaphysique et de Morale*, octobre-décembre 1963.

« Esquisse d'un public conditionné », *Le Figaro*, 11 février 1965.

II. — SUR IONESCO

N'ayant pas l'intention d'être le Lovenjoul d'Eugène Ionesco, je me bornerai à mentionner : d'abord les livres de base, contenant des bibliographies auxquelles je renvoie le lecteur ; ensuite un article en langue anglaise publié récemment ; enfin, quelques articles ou articulets parus dans différentes revues françaises. Dans ce dernier cas, il s'agit plutôt d'un échantillonnage arbitraire d'opinions critiques formulées sur certaines pièces au moment de leur création. Ce n'est que l'embryon d'une étude qui, en dépit de son aridité, serait sans doute riche d'enseignements.

A. Livres de base.

Corvin, Michel, *Le Théâtre nouveau en France*, Presses Universitaires de France, « Que Sais-je ? », 1963.

Esslin, Martin, *The Theatre of the Absurd*, Eyre & Spottiswoode, London, 1961. Version française : *Théâtre de l'Absurde*, Buchet / Chastel, 1963. Version allemande : *Das Theater des Absurden*, Athenäum Verlag, Frankfurt (Main), 1964.

Grossvogel, David, *Four Playwrights and a Postscript : Brecht, Ionesco, Beckett, Genêt*, New York, Cornell University Press, 1962.

Pronko, Leonard Cabell, *The Experimental Theatre in France*, Berkeley et Los Angeles, University of California Press, 1962. Version française : *Théâtre d'avant-garde, Beckett, Ionesco et le théâtre expérimental en France*, Denoël, 1963.

Sénart, Philippe, *Ionesco*, Éditions Universitaires, 1964.

Surer, Paul, *Le Théâtre français contemporain*, Société d'Édition et d'Enseignement Supérieur, 1964.

B. Article en langue anglaise.

Lamont, Rosette C., « Air and Matter : Ionesco's *Le Piéton de l'air* and *Victimes du devoir* », *French Review*, January 1965.

C. Échantillonnage d'articles (bons ou mauvais) parus dans différentes revues françaises.

1) *Sur le théâtre de Ionesco en général.*

Barjon, Louis, « Un sage en habit de fou : Ionesco », *Études*, juin 1959, pp. 306-318.

Bourdet, Denise, « Ionesco », *Revue de Paris*, décembre 1961, pp. 139-142.

Brion, Marcel, « Sur Ionesco », *Mercure de France*, juin 1959, pp. 272-277.

Doubrovsky, Serge, « Le Rire d'Ionesco », *N.R.F.*, février 1960, pp. 313-323.

LEMARCHAND, Jacques, « Spectacles Ionesco », *N.R.F.*, décembre 1955, pp. 1148-1153.

TOUCHARD, Pierre Aimé, « Deux bêtes de théâtre : Anouilh et Ionesco », *La Nef*, avril 1959, pp. 77-82. (Comparaison entre *L'Huluberlu* et *Tueur sans gages*.)

— « L'Itinéraire d'Ionesco », *Revue de Paris*, juillet 1960, pp. 91-102.

VIANU, Hélène, « Préludes ionesciens », *Revue des Sciences humaines*, janvier-mars 1965, pp. 105-111.

2) Sur quelques pièces.

Victimes du devoir :

BOURGET-PAILLERON, Robert, *Revue des Deux Mondes*, 1er avril 1959, p. 542.

GÉRALD, *Les Annales Conférencia*, mai 1959, p. 59.

GOUHIER, Henri, *La Vie intellectuelle*, décembre 1954, p. 129.

LEMARCHAND, Jacques, *Le Figaro Littéraire*, 27 mai 1965.

Tueur sans gages :

FERNANDEZ, Dominique, « Une longue pièce de Ionesco », *N.R.F.*, avril 1959, pp. 705-711. (Dans cet article, on relève les néologismes suivants : « génie ionesquien », « univers ionesquien », « enfer ionesquien », « ionescades ».)

GÉRALD, *Les Annales Conférencia*, avril 1959, p. 58.

GOUHIER, Henri, *La Table Ronde*, mai 1959, pp. 176-180. (L'auteur, comme P. A. Touchard dans l'article cité plus haut, compare *Tueur sans gages* à *L'Huluberlu*.)

SAUREL, Renée, « Saint-Ionesco, l'Anti-Brecht », *Les Temps modernes*, avril 1959, pp. 1656-1661.

Rhinocéros :

ABICHARED, Robert, *Études*, mars 1960, pp. 391-394.

BOURGET-PAILLERON, Robert, *Revue des Deux Mondes*, 15 février 1960, pp. 721-723.

DUSSANE, *Mercure de France*, juillet 1959, p. 504 et mars 1960, p. 497.

MAULNIER, Thierry, *Revue de Paris*, mars 1960, pp. 136-139.

SIMON, Alfred, « De la difficulté d'être Rhinocéros », *Esprit*, avril 1960, pp. 727-730.

TABLE

ACHEVÉ D'IMPRIMER
LE 31 JANVIER 1966
PAR F. PAILLART
ABBEVILLE

N° d'édition : 2-70
N° d'impr. : 9687
Dépôt légal : 1er trimestre 1966
Imprimé en France.